TERRA NOS CABELOS

TÔNIO CAETANO

TERRA NOS CABELOS

1ª edição

EDITORA RECORD
RIO DE JANEIRO • SÃO PAULO

2020

CIP-BRASIL. CATALOGAÇÃO NA PUBLICAÇÃO
SINDICATO NACIONAL DOS EDITORES DE LIVROS, RJ

C131t   Caetano, Tônio
　　　　Terra nos cabelos / Tônio Caetano. – 1ª ed. – Rio de Janeiro: Record, 2020.

ISBN 978-65-5587-088-6

1. Contos brasileiros. I. Título.

20-65521
CDD: 869.3
CDU: 82-34(81)

Camila Donis Hartmann – Bibliotecária – CRB-7/6472

Copyright © Tônio Caetano, 2020

Todos os direitos reservados. Proibida a reprodução, armazenamento ou transmissão de partes deste livro, através de quaisquer meios, sem prévia autorização por escrito.

Texto revisado segundo o novo Acordo Ortográfico da Língua Portuguesa.

Direitos exclusivos desta edição reservados pela
EDITORA RECORD LTDA.
Rua Argentina, 171 – Rio de Janeiro, RJ – 20921-380 – Tel.: (21) 2585-2000.

Impresso no Brasil

ISBN 978-65-5587-088-6

Seja um leitor preferencial Record.
Cadastre-se em www.record.com.br
e receba informações sobre nossos
lançamentos e nossas promoções.

Atendimento e venda direta ao leitor:
sac@record.com.br.

À Virginia Caetano,
minha mãe, meu amor.

Às minhas irmãs,
amigas, professoras, mulheres possíveis.

"Mamãe, vendo minha tristeza, consolava:
— A gente sobrevive, minha filha. Olhe pra mim!"

Dalva Maria Soares, *Para diminuir a febre de sentir*

"(...) nós todos andamos aí,
de vida em vida, nos reencontrando."

Ana Mello, *Para onde vão os objetos perdidos?*

"Ela teve receio de cobra, mas seguiu adiante.
Empurrou a porta que abriu doce e lentamente,
como se a casa estivesse também a aguardar por ela."

Conceição Evaristo, *Ponciá Vicêncio*

Sumário

Terra nos cabelos — 11
No jardim — 15
Aclamação — 21
Formação — 27
A bota do Diabo — 41
A casa no fim da rua — 45
Identidade — 55
Sangrando — 61
Malparadas — 67
Memória da delicadeza — 75
Limites — 81
Sem a gente lá — 85
Toda a verdade — 89
Acho que era novembro de 1983 — 93
Estômago — 101
Agradecimentos — 111

Terra nos cabelos

A lutar com prendedores e o frio do mundo sobre a roupa torcida, ouvi meu nome. Vinha da rua, de olhos faceiros e língua corrompida a contar que meu neto se metia em problemas com aquela gente portadora da ruindade nativa, da satisfação de interromper. Então, as roupas pingando do varal e o vento no comando, saí correndo portão afora. Escalei a lomba até o inferno com minha gravidade pesada de mulher velha. Chegando lá sobre o descampado, a roda já estava feita.

De fora, olhei para ele perdido em mais uma das armadilhas feitas contra nós. E o choro iniciado em seu primeiro respiro emendava-se agora frente a meus olhos, também no meu peito.

Empurrei um, dois, não sei mais quantos dominados por forças perversas que vibravam na mesma frequência, até chegar no centro da roda. Kito, me reconhecendo, baixou a cabeça. Outros dois de pés descalços se olharam e, feito cachorros acuados, se puseram a ladrar contra ele. O homem grande, suposto em prejuízo, retaguardado por outros da mesma malandragem, deu um passo para a frente quando o silêncio dos dedos apontados se fez.

Pegou meu menino pelos encaracolados como se eu não estivesse ali, como se eu não tivesse pés de cruzar mundo, braços de manter casa em pé. Atordoada, já sem frio no corpo, só com o zás-trás dos olhos dos que só são escolhidos quando se precisa de culpados, pulei e, mesmo não sendo a mãe primeira, tomei-o nas mãos como que recompondo o cordão umbilical e lhe bati.

Bati até doer nos outros, até revirar estômagos, até abrirem a roda e selarem portas e janelas. Bati e gritei até retumbar bem dentro deles o meu pesar, até a história se tornar única, até fazer entrar pelas palmas claras das minhas mãos o meu menino, o mesmo que vi crescer na barriga, o mesmo que embalei desde sempre e mais depois que a mãe se perdeu.

Então, já sem a posse de mim e chinelos, ajoelhada no revirado do chão, de volta ao lugar do meio, ouvi: "Pode levar o menor. Vai na fé. Aqui tá tudo acertado."

Em silêncio como nos ensinaram, mais fraca do que a própria dor, puxei meu pequeno guerreiro intrêmulo mais pra junto e, fora do mármore, ainda diante das vistas da comunidade, o abracei sofrido e quente e sussurrei-lhe palavras de antigamente, palavras de vida ao espírito. Ardia? Já não sabia se era ele ou eu quem apanhara.

Juntei forças sobre os joelhos esfolados e pus-me de pé. Com Kito nos braços, o último afluente de meu rio, meu preto sem direito ao céu, mas com terra nos cabelos, desci do calvário em procissão pelas vielas do morro.

Em casa, acendi velas, macerei ervas em ritual de oração. Tratei nossas feridas externas, deitei-o na camarinha e cobri-lhe a cabeça com meu coração em trapos.

Agora o esfriar da raiva me trazia de volta ao território do medo. E se fosse preciso continuar sozinha? Acertou-me o pensamento feito bala perdida. Sem ar, peito ardendo, saí para o pátio e, não sabendo como desturvar o raciocínio, voltei ao tanque.

Batendo roupa como um açoite nas costas, aos poucos fui entoando um canto muito antigo. Meu corpo tentava acalentar a tremedeira dos sentidos, na força daquelas palavras. Uma vontade de chorar sufocada em mim se desprendeu no momento em que me virei e o vi de cabeça erguida na porta do barraco. Lágrimas correram pelo meu rosto, e ainda mais quando senti que em seus olhos não havia culpa.

No jardim

Os gestos e olhares vinham sempre antes. Quando se escutava muita palavra em casa, algo não ia bem. Naquele tempo, papai saía cedo para o trabalho no estaleiro e só voltava à noite. Meu irmão e eu íamos a pé pra escola antes que o sol esquentasse muito a terra do caminho. E ela ficava responsável pela lida da casa. Às vezes, quando chegávamos da aula, podíamos ouvi-la cantarolando alguma música no jardim. Se não nos via de pronto, ficávamos pelas frestas da cerca assistindo àquela felicidade como os jovens de hoje assistem aos cantores da TV.

Guardava moedas, desde nova. Disse-me ter aprendido o hábito com sua mãe, e esta com a mãe dela, dando assim continuidade a uma linhagem muito antiga de mulheres guardadoras de moedas. Aquilo me fascinava e, por onde andava, também catava os pequenos círculos de metal.

As palavras aumentaram quando, tendo enchido mais de dez vidros de moedas, resolveu encomendar um vestido igual ao das moças de revista. Um vestido amarelo, rodado, com muitos detalhes brilhantes. A história da mulher dos vidros de moeda se espalhou pela vila. Papai nada falava, mas era visível seu sofrimento diante dos conhecidos e das versões que se multiplicavam. Ela não se importava e eu também não, gostava de vê-la nas tardes cantando e rodando seu vestido no jardim. Tinha a impressão de que seus pés negros flutuavam do chão quando, entre um rodopio e outro, o vestido se armava por inteiro.

Um dia papai voltou mais cedo do trabalho e o vestido não dormia na sacola atrás da porta. Era a primeira vez que ele a via enroupada daquele jeito. Não tinha palavras para lidar com a coragem que nela tomava corpo. Parou em sua frente, coçou a barba e correu os olhos. Feito passarinho que pula do ninho, ela anunciou que ia embora. Juntei as mãos e desejei que ele a impedisse, mas não, deu as costas e entrou em casa. Antes, de relance, ao passar por nós na pequena varanda, parecia ter envelhecido dez anos naquele último minuto.

Ao voltar meu rosto, enxerguei-a do lado de fora com a mão levantada em chamamento na nossa direção. Olhei para meu irmão e seus olhos eram um mar indo-indo.

Então ele se levantou e, custoso, escorreu para o interior da casa. Fiquei sozinha, boiando no ar, como a mão que continuava a chamar.

Alguma coisa me levou até ela e, sem entender, cortei o silêncio que se impunha e pedi que não nos deixasse. Como o vento por entre as frestas do portão, refez o silêncio quando me entregou as chaves da casa. Fiquei ali, talvez horas, até meu irmão me conduzir de volta. Ainda hoje sonho com a sombra dela contra o sol balançando feito manto de santa a desaparecer no horizonte.

No começo as pessoas faziam questão de nos atacar na rua, na igreja, no portão de casa, para dizer algo sobre ela. Uma senhora, que eu não conhecia, relatou-me que seu filho solteiro — filho solteiro, repetiu — a reconheceu numa casa de mulheres na cidade. Disseram a meu irmão que nosso pai devia arranjar outra mulher porque ela tinha se arranjado com um homem rico e morava num sítio muito-muito longe dali. Um senhor de coluna torta, após pedir umas moedas a meu pai na saída da missa, sussurrou sobre uma mulher morando na mata. A versão que mais me agradou dizia que ela havia se tornado professora de meninos de fazenda.

Quando as pessoas silenciavam, o vento violentava as roseiras e trazia o perfume dela para dentro de casa. Só nesses momentos perfumados que nossos olhos e pensamentos se buscavam. Daí papai coçava a barba, meu irmão se fechava no quarto para ler as mesmas revistas de mocinho e bandido da infância e eu ia para o jardim arrancar os inços de fofoca e regar as plantas com nossa saudade.

Na esperança de diminuir as palavras do pensamento, papai decidiu destruir tudo em casa que a lembrasse. Primeiro obrigou-nos a rasgar em pedaços pequenos as fotos e depois jogá-los no balde de lata. Dentro do balde, o fogo eliminava qualquer possibilidade de recuperação do que fomos. Quando um pedacinho dela caía no chão, ele o juntava e devolvia ao fogo. Depois construiu uma oficina onde antes era o jardim.

Quando a vila já não se chamava vila e a oficina prosperava, o coração de papai fraquejou. Meu irmão, que morava na capital, cuidou de tudo, mas não sentou pouso. Fiquei na casa e, por dissemelhança, casei-me com o empregado mais falante da oficina.

Mesmo o corpo dizendo-me coisas inesperadas, no espelho encontrava a menina abandonada entre rascunhos de vida que não iam adiante. Não me tornei uma mulher triste, apenas tentei conservar o que pude do passado.

Até aquela tarde quente, foram muitos anos esperando que ela voltasse para dizer que eu estava pronta. Retornava do mercado a pé quando, eia-eia, enxerguei uma mulher de cabelos brancos usando um vestido brilhoso sobre uma carroça que passava. Em meio a uma tontura, gritei "mãe" e a carroça parou.

A minha vontade era de ir ao seu encontro, subir naquela carroça que parecia vinda de séculos, mas uma dúvida me segurou: e se eu nunca mais conseguisse descer? Eu, que já não guardava moedas nem gostava de vestidos rodados, não consegui pensar em algo que sua decisão já não me tivesse ensinado. No momento em que a carroça voltou a se mover, era a minha mão que se levantava serenando o passado entre nós.

Hoje, nesta casa cercada por muros, a voz dela me visita quando estou distraída. Às vezes, nas manhãs frias, tenho a impressão de ver seu corpo brilhoso indo em direção ao jardim da infância, um perfume de rosas que me acompanha o dia inteiro.

Aclamação

Coloquei a plaquinha de "dirija-se ao caixa ao lado" e disse para a fiscal que não podia mais aguentar, molharia as calças na frente do próximo cliente se não fosse ao banheiro naquele momento. "Vai rápido", ela falou revirando os olhos, com a expressão débil da maioria dos jovens que têm um cargo superior ao de um adulto.

Trabalhar em supermercado me ensinou a odiar supermercados. Além dos colegas, passei a odiar também os clientes. Os mais novos me tratam como uma pessoa que não venceu na vida e que, por isso, merece ser punida com falta de paciência e expressões sarcásticas. Os demais me atingem com a necessidade urgente de compartilhar suas vidas capengas de dinheiro, afeto e memória entre uma caixa de leite e outra, na espera do retorno do patinador que foi pesar algo que esqueceram ou mesmo nos momentos me-deu-um-branco-da-senha-do-cartão.

Do reservado do banheiro ligo para minha mãe. Peço que alimente as crianças. Vou chegar tarde. A gerente da loja pretende "alinhar alguns procedimentos" antes do feriado. Se vir o Cézar, diga que eu não quero o irmão dele enfiado lá em casa até tarde. Mal encerro a ligação e recebo um SMS com o saldo de créditos: R$ 6,75. Respiro fundo ao olhar no espelho minha cara tão redonda quanto meu corpo. Pego um pedaço de papel, limpo o brilho da testa e volto ao "o próximo, por gentileza".

Subo as escadas do ônibus rendida pelo cansaço de oito horas de trabalho, uma de almoço e mais duas de reunião. Não estava nos meus planos ficar um segundo a mais no supermercado. Nem hoje, nem nunca. Sinto-me mais esgotada por fazer algo obrigada. Já passa das dez e a perspectiva, se tudo correr bem, de meia hora de ônibus, quarenta minutos de metrô e depois mais quinze a pé me tortura. Sento-me bem no fundo ao lado de uma senhora, que me olha de cima a baixo. Faço cara de invocada, não dou confiança. Só desejo que o tempo passe rápido, que as crianças estejam dormindo quando eu chegar em casa e que minha mãe tenha guardado um prato de comida para mim. E dormir, dormir como uma pedra.

Ao sair da elaboração mental do que seria o fim da minha noite, fico um pouco desconcertada quando o vejo entrar. Aqueles olhos safados sem igual, a boca do motoqueiro da Toni Braxton, bunda do Hulk da seleção e a barba do Pantera Negra: tudo junto e misturado.

Olho para ele e suspiro. Posso jurar que sinto o cheiro forte da jaqueta de couro. Imagino minhas mãos percorrendo as formas bem definidas daquele corpo forte. Fico pensando até onde vão os pelos que começam em seu punho e se perdem dentro da manga, o quão espesso e quanto incomodaria ou não a barba no meu pescoço. Enquanto o ônibus anda e o tempo perde a importância, questiono-me o que ele diria se eu perguntasse "Na tua parada ou na minha?"

Nesse momento, seu rosto se transfigura. Olha pra mim diretamente como se tivesse ouvido a pergunta. Sustento o olhar mesmo me sentindo tola buscando alguma lógica naquilo.

Então acontece: nasce um sorriso malicioso no canto daquela boca que se prolonga até a minha. O ônibus para. Cinco ou seis pessoas descem. Percebendo o espaço livre entre nós, caminha decidido e fica de pé a meu lado. Eu tremo por dentro olhando para aquela mão gigante segurando na guarda da cadeira da frente. Unhas bem cortadas, dedos enormes, alguns maiores que muitas pirocas que eu tive o desprazer de conhecer na juventude. Aquela proximidade concreta me deixa indefesa, mas faz subir um calor pelas pernas, um calor que conquista o estômago, o bico dos peitos, a garganta.

Excita-me mais ao perceber que meu corpo pode ainda interessar a alguém mesmo depois de um dia longo de trabalho. Na minha cabeça, a voz dele é profunda, rija, sexy. Fecho os olhos por um instante e sinto um bafo na minha orelha, uma vertigem no fundo do ouvido que toma meu corpo inteiro. Ficamos um bom tempo trocando olhares, salivando entre uma parada e outra.

A senhora que divide o banco comigo, incomodada com a situação, levanta-se num resmungo de "pouca--vergonha" e se senta em outro banco mais na frente. Já vai tarde, penso. Então, quase engasgando, pergunto se ele quer sentar. Com um sorriso largo e um movimento da cabeça, recusa. Uma sensação estranha, estou gostando da situação, mas não sei se quero que ele me toque.

Três paradas antes da minha levanto e, num ímpeto de coragem, passo por ele me roçando, arfando de um prazer imaginado. Caminho até perto da porta e me seguro no mastro. Não só seguro, mas colo nele feito dançarina de pole dance. Ele para ao meu lado grudando coxa com coxa. Posso ver o volume na parte da frente das calças. Tudo ali vibrando ao alcance das minhas mãos. Imagino seus dedos ágeis, seguros, mas não tão gentis, rendendo meu corpo contra um muro, o cheiro do cimento seco entrando fundo pelo nariz. E então minhas calças sendo baixadas por trás com força, a respiração ofegante no meu ouvido dizendo que a minha bunda é a mais linda do mundo e eu a arrebitando ainda mais.

Fecho os olhos quando o ônibus entra no túnel. Sob o escuro da noite, acobertado pelo escuro do túnel e bem dentro do escuro dos meus olhos fechados, seguro a respiração e sinto um tremor subindo pelas pernas. Ali uma língua preenche o fundo do meu ouvido e os pontos mais sensíveis da minha mente até que ouço "você quer?", duas palavras ligando meus pensamentos ao real, fazendo passar por mim toda a eletricidade do ônibus.

Louca de desejo, não mais caixa de supermercado, esposa, cunhada, mãe. Cambaleio e algo macio derrete no meio das minhas pernas. Uma palpitação toma conta do peito e seguro mais firme no mastro. E então o ônibus sai do túnel, mas demoro a voltar, a engolir tudo que se acumulara em minha boca.

Aperto o sinal. Trocamos olhares e o meu coração bate feito bateria no recuo. Em poucos instantes, o ônibus para e ele desce. Quando se vira e me encara lá de baixo, fora do ônibus, já não me sinto cansada. Eu tinha voltado a ser aquela jovem impetuosa, uma rainha de escola de samba que comanda todos os homens, a vida, com o brilho do seu corpo elétrico.

Formação

Os piores eram colocados na turma 3B. Todos ali acumulavam muitas deficiências. Os alunos sabiam e, para os que sentavam no fundo da sala, aquilo não era vergonha, mas status. A maioria teria como destino o subemprego, um ou outro seguiria até o ensino técnico e os demais seriam criminosos. Os professores sempre sabem, por mais que não seja bonito dizer isso.

Hélio era um rapaz simples, de olhos pequenos, cabelo sempre bem cortado. Apesar de retraído, tinha aquele olhar atento de quem está acompanhando o conteúdo, mas não se sente à vontade para fazer perguntas em voz alta. Foi recebido com certo desprezo pelos novos colegas. A família se mudara para a região recentemente e ele ingressara na escola no segundo semestre, confidenciou-me a diretora.

Quem chega por último, se não causa boa primeira impressão, acaba na base da hierarquia escolar. Normalmente são os que mais sofrem. Alguns abandonam os estudos, outros se desconectam totalmente e andam pelos cantos e há, ainda, os que parecem se despedir a todo instante com o olhar.

Feito mãe que não tem vergonha de admitir a preferência por um dos filhos, senti-me contemplada com sua chegada. Concentrei minha energia nele. Solicitava trabalhos extras, que ele sempre entregava. Bebia o pouco que me dava durante as aulas e passava muito tempo, finais de semana, pensando sobre cada palavra escrita. Havia algo reprimido naquele corpo franzino, algo genuíno que só eu via.

Um dia presenciei uma agressão. Apanhava calado. Não revidava. Fiquei paralisada diante daquilo. Do chão, seu rosto triste me encontrou. Peguei o agressor pelo braço e o empurrei para fora da sala. Perguntei se Hélio queria ir à direção ligar para os pais, mas, assustado, implorou que eu não contasse para ninguém.

O agressor ainda estava no pátio do colégio quando a aula terminou. Fui conversar com ele, mas apenas retirou os olhos do celular, encarou-me e, tranquilamente, falou "puta". Relatei a situação para minha supervisora e ela me orientou a "deixar pra lá".

A escola possui clima particular, formas próprias de dissimulação tanto para produzir docilidade quanto degeneração. A realidade é sempre mais violenta do que a teoria ensinada na faculdade.

Hélio disse um dia que desejava ser um professor tão bom quanto eu. O coração acelerou, minhas bochechas ruborizaram. Ofereci ajuda depois das aulas. Eu morava sozinha, tinha tempo livre. Poderíamos fazer um plano de estudos e eu o acompanharia até o vestibular. A ideia saltou de minha boca sem a baliza da razão. Ignorei todas as evidências, apontamentos, recomendações para me manter a uma distância segura, profissional.

Tornou-se obsessão moldar-lhe o espírito. Em pouco tempo, como um segredo só nosso, Hélio passou a frequentar minha casa. Nossa sintonia aumentou, as notas dele também. Estava no caminho certo.

Acabei refazendo o espelho de classe, coloquei ele mais próximo de mim. Isso não ajudou. Agora, recebia no celular mensagens de números desconhecidos e encontrava nos lugares mais inusitados frases obscenas sobre nós. Até no banheiro dos professores alguém escreveu "Professora que fode aluno faz um bom trabalho oral".

As insinuações, os olhares acusatórios dos colegas doíam menos do que as atitudes dos alunos. Agora batiam nele também para me atingir. A universidade, os cursinhos de atualização haviam me iludido com discussões tolas sobre educação em rede, ensino por projeto e professor continuar mantendo a autoridade sem ser autoritário.

Agora o comum era chegar da escola e ele já estar lá, a camiseta branca puída, mas limpa. Antes de entrar, eu parava na saída do elevador e ficava alguns minutos tentando domar o corpo, a respiração, a cara de quem chega já procurando.

Um dia me trouxe um presente.

— Você gostou da cor? — perguntou, com aquela voz falhada, timbre de quem está no fim da transformação do agudo para o grave.

— Eu poderia morar em uma canção da Joni Mitchell e ser feliz — eu disse, com as mãos acariciando o tecido azul do vestido.

— Quem é Joni Mitchell? — perguntou, com expressão perdida.

— Anota, mais tarde você pesquisa na internet — falei, sentindo o movimento das bochechas se erguendo, com o contentamento interior de quem abre um espaço na cabeça do outro.

Então pediu que eu vestisse para ele ver como ficava. Disse que precisava terminar os exercícios que eu havia separado. Era uma situação estranha. Entramos num impasse, eu não experimentava o vestido e ele se recusava a dar seguimento aos estudos. O azul abraçou meu corpo com perfeição. Sentia-me tola com as pernas um tanto a mostra, mas ainda bonita.

Comecei a notar uma mudança de comportamento. O menino doce, franzino, agora abria a geladeira sem pedir. Deixava as coisas espalhadas pela casa. Alterava o tom da voz.

Havia flores num vaso sobre a mesa certo dia. No cartão com cheiro de pós-barba, uma única frase: "Você é minha razão de ser feliz." Fiquei mais de hora sentada no sofá tremendo e repetindo mentalmente "Você tem que saber o seu lugar."

— Nós precisamos conversar — eu disse, logo que ele chegou. Era uma quinta-feira.

— Eu não quero conversar — retrucou, no meio de um abraço. Não era bem um abraço, mas alguém com medo de perder algo, alguém que segura este algo até machucar.

— Não podemos continuar — falei, o mais rápido que pude com medo de não conseguir pronunciar as palavras.

— Você disse que ia me ajudar até o vestibular — gritou, com a voz e os olhos gotejando.

Então tentou me beijar. Empurrei e ele caiu. Nunca vou esquecer a expressão, lembrou-me de um filme de terror, de uma criança que era devolvida num processo de adoção. Ainda no chão, enxugou os olhos com o braço, levantou e saiu correndo batendo a porta.

Hélio não foi à aula por dois dias. A direção avisou que o pai ligara para informar que o filho não se sentia bem. Três dias depois, sobre a mesa de casa, encontrei o primeiro bilhete.

"A professora me levou para a casa dela e começou a passar a mão nas minhas pernas. Depois me beijou. Eu pedia pra parar, mas ela dizia que se eu não deixasse mandaria os outros alunos baterem em mim de novo."

Desesperei-me. Percebi o quanto havia sido ingênua. Aquilo era mais do que uma ameaça, era o fim da minha carreira, da minha vida, da vida dos meus pais.

Pensei em pedir ajuda para a diretora. Depois concluí que isso poderia piorar as coisas. Ela era do tipo linha-dura. Usava a palavra "miserável" para os alunos e olhava os colegas com ar de superioridade moral. Era nova na escola. Diziam que possuía influência política dentro das instâncias administrativas, o que a blindava de ter que mostrar sua mediocridade em sala de aula. Fazia questão de deixar claro que não gostava de ninguém ali e isso me fez duvidar se ajudaria ou se me usaria como exemplo de sua autoridade.

Agora eu era uma pessoa completamente desconfiada. Parecia que todos haviam lido o bilhete. Parecia que a qualquer momento alguém iria entrar na sala para me prender.

Quando voltou à escola, Hélio não falava. Sua expressão era séria, olhava-me de cima a baixo. Eu procurava um momento para conversar com ele. Uma pessoa não pode ter uma mancha dessas na vida. Mas o problema parecia não ter solução.

"A professora disse que eu era o garotinho dela. Se eu a deixasse tirar minha roupa, não precisava mais fazer prova. Eu não queria, mas ela iria dizer para os meus colegas que eu era bicha."

Não sei como conseguiu. O segundo bilhete havia sido enfiado no meu armário na sala dos professores. Tomei um susto quando abri a porta do armário e o papel voou. Fui ao chão o mais rápido que pude antes que alguém prestasse atenção naquilo.

Chorei a noite toda pensando no pior. Nas pessoas que nos viram juntos no prédio. Nos outros alunos que seriam interrogados e falariam qualquer coisa para me prejudicar.

No outro dia, sexta-feira, liguei para a escola e avisei que não iria, crise de enxaqueca. Passei sexta e sábado trancada em casa. Ele não era definitivamente aquele menino que um dia pensei salvar.

Domingo de tarde tocou a campainha. Quando abri uma fresta, Hélio a empurrou e entrou. Entregou-me um ramalhete de flores. Depois andou com segurança, cabeça levantada, até o sofá. Sentou-se e fez sinal com a mão para que eu fosse para o seu lado. Eu, de roupão e chinelos, toda descabelada, física e mentalmente deplorável, larguei as flores sobre a mesa e obedeci feito cadela adestrada.

— Não sei se te amo mais agora do que antes.

— Isso não é amor, Hélio.

— É que antes tudo estava borrado de gratidão pelas coisas que você me ensinou.

— Não fala besteira.

— Gratidão é um sentimento bom, não é?

Fiquei em silêncio e então me beijou. Tentei afastar a cabeça, mas a segurou com força. Depois comecei a chorar.

Ele disse que não queria o meu mal com aqueles olhos um tanto jovens, um tanto doentios. Fica sempre um pouco de perfume e morte nas mãos que oferecem flores, pensei enquanto ele tentava enxugar as lágrimas do meu rosto.

Preso às flores, estava o terceiro bilhete.

"A professora me obriga a sentar no colo dela e chupar suas tetas feito criancinha. Se choro, ela me bate. Tenho medo de querer morrer."

Quanto mais ele voltava, mais eu sabia que o inferno é quando perdemos o controle sobre o que os outros podem fazer conosco.

Algo se rompeu dentro de mim. Passei a me sentir de fato uma criminosa, uma criminosa típica, daquelas que nega o fato ou, quando o aceita, nega qualquer consequência. Sempre gostei de homens que me dessem medo. Primeiro os temia, depois amava e então terminava odiando. O amor e o ódio andam sempre nas costas do medo. Com Hélio, não foi diferente.

Mas o final do ano se aproximava. Terminando o segundo grau, ele teria que sair da escola e talvez eu conseguisse me libertar. No entanto, suas notas começaram a piorar de forma geral. A reclamação era unânime entre os professores. Tentei persuadi-los para que o passassem de ano. Havia alunos piores na 3B, argumentava.

— Não tem nada na geladeira? — ele gritou. Afeto e loucura abrem espaço para exigências. Que bênção são as pessoas que não dependem de nós, pensei.

— Podemos ligar pra pizzaria — respondi, sem paciência.
— Lá em casa a geladeira está sempre cheia.
— Geladeira de mãe nunca fica vazia.
— Você não conhece a minha mãe — ele disse, levantando o tom. Eu já reconhecia suas mudanças de temperamento. Sabia quando não desejava entrar muito num assunto. Então insistia até que se irritasse e fosse embora comprar flores e escrever mais um bilhete.
— É sempre o teu pai que responde às questões da escola, o que a tua mãe faz?
— A minha mãe grita como uma louca e vive mandando feito a rainha dos bichos-preguiça — falou, com a voz falhando e depois saiu batendo a porta. Não gostava de mostrar fraqueza na minha frente. Vê-lo assim, um menino perdido, me inebriava.

Consegui sensibilizar duas colegas. Para uma contei a história triste, o pai dele estava me enlouquecendo; para outra, mais pragmática, tive que desembolsar algum dinheiro. Faltavam ainda dois professores. No último conselho de classe, consegui mais uma adesão. Por fim, coloquei meu nome na lista dos que aplicariam prova de concurso no final de semana. Dentro da escola, consegui ter acesso ao cadastro eletrônico dos alunos e, com inimaginável satisfação, adulterei a última nota.

"A professora disse que vai me matar se eu contar para alguém o que ela faz comigo. Eu não quero morrer, só quero ser feliz."

No início de uma reunião convocada com urgência, a diretora um tanto descomposta leu o bilhete anônimo. Os professores agiam como ratos presos numa caixa. Se ninguém se acusasse, ela ameaçava informar a existência do bilhete às autoridades, não queria ser responsável por algo tão repugnante. Não há como salvar a educação desse país, quando os próprios professores não se dão ao respeito, discursava. Agora outros levantavam a voz ofendidos. E se fosse uma brincadeira de mau gosto, esbravejavam. Eu ouvia a tudo calada e tentava fugir do olhar da diretora e do foco da colega que havia subornado.

Tudo aconteceu tão rápido depois da reunião. Quando saí à rua, a cidade parecia se erguer feito grades empurrando o céu pra longe. No caminho de casa, percebi que estava sendo seguida por um carro prata de vidros escuros. Por onde eu andava, via aquele carro.

Cheguei correndo no apartamento e sobre a mesa havia um sol de gérberas amarelas e laranja junto com um bilhete. Preferi não ler. Já não os lia, faziam-me mal. Olhei rápido em todos os cômodos, não havia ninguém. Da janela, enxerguei o carro prata estacionado em frente ao prédio.

Atordoada, joguei o essencial em uma sacola. Quando estava prestes a fugir, ouvi o barulho das portas do elevador. Corri até a cozinha e peguei uma faca. Quem se arrasta contamina o caminho do futuro, ele não vai vencer, pensava enquanto o tempo presente parecia parar. Então algo me atingiu forte na cabeça por trás e tudo escureceu.

A cabeça ainda doía quando acordei. Minhas mãos estavam amarradas na guarda da cama e em meu corpo o vestido azul. Tentei me soltar, mas ouvi o barulho da porta.

— Será que já acordou?

— Espero que você não tenha batido mais forte do que o suficiente.

— O que você vai fazer?

— Que pergunta é essa? Não se meta. Isso é entre mim e ela.

— Não fala assim, mãe, você sabe que eu gosto só de você.

Um perfume doce invadia o ambiente. O asco que borbulhava em meu estômago chegava na garganta com aquela conversa. O mais estranho era que me soava conhecida a segunda voz. Então eles entraram no quarto e não consegui entender o que vi.

— Você com essa cara de sonsa, mal chegou e já quer pôr as mãos no meu filho — disse-me a diretora, com um brilho de inveja e ressentimento nos olhos.

— O que a senhora está falando? — perguntei, ainda incrédula.

— Olha, mãe, o vestido curto que ela usa pra me seduzir.

— Não diga isso, Hélio, esse vestido foi você quem me deu.

Mais contrariada, ela se virou e o encarou. Outra vez ele apanhava calado. Mas agora seu rosto reagia diferente. Havia uma indecisão, um sorriso irônico. A mesma expressão dos professores que falavam dela pelas costas.

— Ele precisa de ajuda — falei.

— Eu sei do que meu filho precisa — gritava, enquanto segurava com toda a força meu pescoço. Chegou a um ponto em que, tamanha falta de ar, o peso dela todo nas mãos, senti meu corpo amolecer, as pernas e os braços não respondendo e, por instantes, pareceu-me certo fechar os olhos.

Num momento impreciso, Hélio acertou-lhe a cabeça com uma estatueta de bronze que eu possuía. Depois, obedecendo a uma ânsia, bateu mais vezes até o sangue coagular o chão do quarto.

— Você é mais bonita do que a Joni Mitchell — falou, depois de terminar. Então se aninhou sobre meu corpo.

— O que você vai fazer? — perguntei, cortando o silêncio que se prolongava. Ele me olhou e sua expressão era tranquila. Acarinhou-me sem pressa a testa, beijou-me o rosto e se atirou pela janela do apartamento.

Fiquei assim sem pensamentos observando a janela. Quando saí daquela espécie de transe, gritei o nome dele até não poder mais.

Não há benefício algum em sufocar nossos defeitos. Pior, torna-nos bichos receosos, pessoas que crescem para dentro. De certa forma, Hélio me expandiu.

Ser professora é ocupar um lugar na desordem de alguém, um lugar transitório, nunca real. Não estamos lá apenas para responder às disfunções da realidade, mas também para criar outros problemas. Conheci muitas na faculdade que escolheram a profissão como um prolongamento doentio da função materna. Esse não fora meu caso, mas agora já não havia certezas.

Hoje, quando saio na rua, a cidade ainda parece se erguer feito grades empurrando o céu pra longe. Não fujo mais dos vidros escuros, mas antes de entrar em casa ainda paro na saída do elevador e fico alguns minutos tentando domar o corpo, a respiração, a cara de quem chega já procurando.

Amanhã volto ao trabalho. A primeira vez que usarei o vestido azul fora de casa.

A bota do Diabo

Não é culpa do último palito de fósforo que se quebrou no riscar. Nem da noite anterior, das irmãs que a olhavam de lado como se ela fosse uma santa ou que ficavam perdidas pelos cantos a reclamar dos filhos e maridos. Verônica havia conquistado uma vida digna e nunca fora mulher de queixas, mas, no fim daquela manhã, quando se encontrou sozinha em casa, pela primeira vez perguntou à intranquilidade inesperada se o que tinha era suficiente.

Permitindo que a rotina fale mais alto do que os pensamentos, abandona o fogão e caminha até a pia. Depara-se com a louça suja subjugada pelo pingo da torneira. Eleva a mão, que trava no meio do movimento. Uma mosquinha passa diante de seus olhos, juntando-se a outras que sobrevoam o copo d'água com o broto de batata-doce no parapeito da janela. Sem ter para onde ir, enrodilham-se as raízes brancas como um grande novelo dentro do copo.

Sente-se velha, a boca cheia de líquidos, o nariz senhor de nada novo. Leva as mãos à cabeça e alisa os cabelos como quem escuta o grito encanecido do passado. Um arrepio sobe-lhe pelas pernas inervando a musculatura, contraindo o liso dos pelos. Inquieta, pega a vassoura e abandona a cozinha em direção ao pátio.

Lá fora, perdendo a sombra com o sol chegando ao zênite, tenta silenciar o corpo no varrer do chão. A ponta de uma rocha que as palhas da vassoura não conseguem remover retém sua atenção. Mais decidida, retorna para dentro da casa.

O marido saiu mais cedo e o filho, em excursão da escola, volta apenas no próximo dia. Sem ninguém para perguntar o que procura, aonde vai e o que está fazendo, Verônica entra no quartinho dos fundos, enrola fios, recolhe pregos enferrujados que mancham o assoalho, retira do caminho o cortador de grama até chegar às ferramentas utilizadas na construção da cerca.

De volta ao amarronzado da terra com uma pá nas mãos, o desalojar da rocha revela algumas raízes. Corta-as, decepa, desune até suar a testa, até cansar os braços, até a terra se mostrar arenosa a certa profundidade. Sente-se mal ao perceber o despautério que havia feito. Quem era ela para julgá-las. Cada um cresce como pode, diz para si.

Ainda sem saber por que, abandona os chinelos e continua a cavar. Cada investida da pá produz energia à seguinte e, assim, uma vem depois da outra e da outra até que se encontra cada vez mais imersa. Agora já cabe um cachorro gordo no buraco. Uma sensação de paz vinda do ventre aberto na terra entra pelos pés e apazigua o estômago.

Nesta paz, segue cavando. No entanto, o cansaço começa a ocupar o corpo, e uma voz conhecida, a cabeça. Desce daí, vem pra dentro, larga este livro e vai dormir, você tem que se conformar, isso é coisa de gente teimosa, minha filha. Ruminar aquelas palavras a faz questionar aonde foi aquela menina obstinada, que depois de começar qualquer coisa só parava quando sentia ter terminado.

De fora, o sol já não pode vê-la. Mais algumas investidas da pá e algo se diferencia na parede de terra. Ao olhar para aquele contraste, percebe tudo invadido pelo mais alto silêncio. Toca-o com certa apreensão. Depois, aperta-o irresistivelmente. A sensação lisa e úmida, preta com dobras amarelecidas, agrada os dedos, aguça a memória em decifrar aquilo que o tempo não conseguiu digerir.

Quantas dúvidas dormem nas camadas deste solo?

Olha para cima e o céu já não tem a mesma cor.

Ela também já não sabe se precisa de tantas respostas.

Não é uma mulher de queixas, repete enquanto enfia mais as unhas na terra tentando puxar a coisa escorregadia. Sentindo-se desafiada, firma os pés no solo e coloca toda a energia nas mãos calejadas e, enquanto faz força, urra impedindo que o corpo desista. O universo se contrai e a coisa, como uma espinha na testa, salta sem aviso. Verônica desaba. Por um momento os olhos se fecham, os braços tateiam o nada. Depois vem o grito, o corpo buscando o eixo, as mãos socorrendo o rosto e, no fim, um riso aberto de menina.

Sobre o barro pisoteado, procura seu triunfo. Encontra uma bota e a abraça como se alguém, no breu, estivesse vindo para tomá-la. Mesmo antigo, o couro ainda preserva um cheiro pungente.

Agora há também uma tranquilidade conquistada no silêncio dos pensamentos. Chacoalha a bota, tenta restituir um pouco da forma, mas depois desiste de calçá-la. Não quer mais nada pela metade.

Verônica enxuga o próprio rosto, acreditando estar perto de poder terminar.

Nem santa, nem perdida, reafirma enquanto a mão suja desce pela perna. Os pelos ásperos, vertigem, o maior órgão do corpo se eriça, enquanto dedos seguros vão e vêm semeando o mais escuro úmido.

A casa no fim da rua

Era um sobrado antigo, o cinza frio do passado no centro da cidade. Por muitos anos passei de ônibus por ali e vi o alpendre alto, o limo escondendo o marrom das telhas de barro, as árvores tomando conta do quintal. É um lugar discreto, ele disse antes de entrarmos no táxi. Minha cabeça parou naquele "É", na certeza de quem fala do que conhece. Aceitei mais essa ponderando que tentar consertar o que não tem conserto é a forma mais rápida para descobrir o pior em nós e, então, dar o passo seguinte.

Pediram a carteira de identidade no guichê. Junto com os documentos, Fernando entregou uma cópia toda dobrada da nossa certidão de casamento. Achei tão despropositado o nome dos meus pais, nosso momento único se arrastando pelo vão do vidro em busca de um desconto pra casados. Fica tranquila, ninguém se importa, ele falou notando minha cabeça baixa, o silêncio constrangedor.

Dias antes, minha mãe contava que passara pelas mesmas dúvidas, o mesmo desânimo com meu pai — que, Deus o tenha, não era santo. E que eu, em vez de ficar me lamentando, precisava me tratar, pois era uma fase, coisa de quem fica junto por muito tempo.

Entramos e o cinza da parte externa do prédio ficou do lado de fora. A pintura da mobília imitando móveis antigos, o brilho das plantas de plástico, a carne viva do batom das mulheres, tudo remetia à mentira partilhada por todos ali e agora também por mim.

Eu entrara numa espécie de transe em que a voz de Fernando não existia. O piso, as paredes, os quadros e as pessoas, tudo parecia imundo. Se ele não segurasse o meu braço, eu daria todos os passos possíveis para trás. Mais ainda quando entramos numa sala intermediária, onde pessoas ficavam olhando de cima a baixo quem chegava; a falta de cabelo, o grisalho no peito e as toalhas brancas cobrindo o sexo dos homens me traziam uma sensação decadente.

— Aqui tem bar? — perguntei, tentando fugir daquela visão.

— Tem sim, mas primeiro vamos ao vestiário tirar a roupa, guardar tua bolsa.

— Preciso beber algo — falei, com a voz já alterada.

— É por ali. Depois você passa no vestiário e me encontra lá dentro — disse, apontando para um e outro lado feito guia turístico.

Fiquei sozinha, naquela meia-luz vermelha do que parecia a sala do inferno. Caminhei até o bar, ocupei a cadeira da mesa mais ao fundo. Pedi uma piña colada ao garçom, precisava aplacar o amargo na boca. Odiei o enfeite de plástico colorido boiando na bebida.

Foi nesse momento que ela apareceu. Uma mulher alta, cabelos escuros, usava um casaco de pele de onça, lenço amarelo e saia. Admirava sua postura decidida, mas não consegui deixar de pensar que era um casaco de puta. Puta velha, como diria minha mãe. Era impossível dizer para onde olhava atrás daqueles óculos escuros. De vez em quando, sua cabeça virava na minha direção e me constrangia.

Respirei fundo e virei o drinque na boca, segurando um pouco antes de engolir tudo com o peso de uma bola de sinuca, e saí a caminhar pelo lugar. Perdida, acabei na ponta de uma escada de onde se podiam ouvir gemidos vindos do andar de baixo. Meu corpo queria descer, que mal teria uma espiada, mas minha cabeça tinha medo de encontrar Fernando por lá com outra mulher.

Olhei para os lados e dei o primeiro passo. Depois da escada, andei por um corredor com minúsculos quartos sem porta. Ver as pessoas fazendo aquilo, ouvir o barulho do choque de corpos, dos gemidos, retraía-me cada vez mais.

Havia uma porta no fim do corredor, que dava para o quintal. Lá fora, tudo estava quieto, nem o vento fazia barulho nos galhos das árvores. Sentei-me num banco de jardim e respirei fundo.

— Você está bem? — Uma voz turvou o silêncio.

Um pouco atordoada, a vi caminhando em minha direção. O salto fazia barulho sobre o piso de pedra. No braço, trazia o casaco e, na mão, uma bolsa pequena. Sua saia era de courino marrom, usava uma blusa preta justa ao corpo e, no pescoço, o lenço de seda amarelo. O cabelo muito preto na altura do ombro contrastava com a pele branca. Chegou bem perto de mim e seu olhar penetrante, impositivo como uma onda verde realçada pela máscara de cílios, me acertou.

— Você está bem? — repetiu.

— Eu já estou indo, desculpe — falei, dando um passo na direção da porta.

— Espere — ela disse, segurando o meu braço.

O toque da sua mão trouxe uma sensação estranha, um arrepio em mim.

— Eu não sou... — falei, com a voz vacilante.

— Eu também não — disse, ainda me segurando. — Pelo visto, é sua primeira vez aqui.

Não sabia o que pensar nem o que dizer. O silêncio entre nós se prolongava e a expressão dela me estudava.

— Vamos embora? — disse, me conduzindo para o lado do quintal onde havia um acesso para o guichê de saída.

Por mais que em meus pensamentos relutasse, meu corpo se deixava levar.

Ela morava no fim da rua. Isso foi a única coisa que consegui prestar atenção naquela tensão toda dentro do carro. Ao entrar, a cor clara das paredes me fez respirar. O sofá de veludo creme era de bom gosto. Tudo, mesmo o estalar do piso de madeira antiga com tábuas longas e lustrosas, compunha uma aura aconchegante.

Ligou o rádio e um sambinha bem suave tomou conta do ambiente.

— Guardei esta garrafa para uma ocasião especial — ela disse, em meio a um sorriso. Senti o rosto esquentar ao vê-la encher a taça na minha mão. Sentadas no sofá, brindamos. Dei um gole pensando na cara de boba que sempre faço quando estou diante de pessoas que me intimidam.

Ela falava pausado, sem muita formalidade, sempre me olhando nos olhos. Eu só conseguia fazer perguntas rápidas, me esconder atrás da taça e olhar para sua boca cor de rolha manchada. Já não pensava em ir embora, tamanha a confusão que a energia dela produzia em mim.

Então parou de falar e me encarou. Tremi, nunca havia considerado uma situação como aquela, mas não queria que ela pensasse que eu era uma mulher boba. Uma vontade de diminuir distâncias, completar espaços, de não permitir vazios me ocorreu. Na minha falta de jeito, aproximei-me rápido e acabamos batendo de cabeça, a taça escapou da minha mão e quebrou, fazendo a maior sujeira no chão.

— Eu não sei o que estou fazendo aqui, desculpe — falei, desorientada.

Agora ela segurava meu ombro e, no meio de um "calma", levantou-se. De pé, estendeu-me a mão. Já com os olhos marejados, segurei-a e levantei também. De mãos dadas demos dois passos para longe da bagunça no chão e nos abraçamos. Um abraço firme e demorado. Respirei fundo e me acalmei sentindo seu perfume suave e doce. Acho que balançamos nesse momento.

Em frente uma da outra, ela apontou para minha testa, depois para meu peito esquerdo e, por fim, para meu sexo.

— Você precisa equilibrar tudo.

Equilibrar o quê?, pensei. Eu que tomava conta da casa, da minha mãe, do meu marido, de tudo.

— Acho que vou indo pra casa — escapou da minha boca.

— Você não pode ir para casa se não sabe onde ela fica — disse, olhando em meus olhos. Então me levou pela mão até o quarto.

— Estou tão cansada — falei, enquanto caminhava.

— Eu sei — sussurrou.

Quando deitamos na cama, eu tremia, impressionada e confusa como uma boia perdida no mar. Mas seus movimentos me davam segurança. Não uma âncora, um barco, uma corda, mas a vibração que impele as ondas.

Aquele desejo sem nome vindo do interior chegava à superfície e me encontrava desprotegida. Deixava minhas mãos tão abertas, nada conseguindo segurar.

Ela foi se desenrolando sobre mim até que nossas bocas se encontraram. Com medo, fechei os olhos e a abracei o mais forte que pude. Ela se soltou e segurou minhas mãos. Olhou bem no fundo dos olhos e disse: "Vamos devagar, isso não é uma luta."

Eu sorria meio sem jeito enquanto ela retirava minha roupa. As batidas envolventes do samba que continuava no rádio da sala entravam pela porta do quarto, embalando o aumento do ritmo da nossa respiração.

Nua acompanhei suas mãos suaves descobrindo as partes virgens do meu corpo. Durante todo o tempo, nossos olhos se procuravam e se encontravam em carícias.

Depois ela se levantou e eu ali, sem reação, com o corpo todo eriçado, recebi sua mão circundando suave, ascendente, pressionando e soltando. Os dedos inserindo-se, subindo e descendo e se encontrando por dentro e por fora dos lençóis da minha pele, enquanto eu pedia "continua" com gemidos.

Pensando que já era muito, surpreendi-me quando segurou firme minha cintura e me absorveu com sua boca macia. Assim, cindindo meus cabelos no travesseiro, ondulando suave, abraçando bosques, a cama me acolheu. Tudo esquentava, os seios endureciam, as minhas coxas trêmulas apertavam-lhe a cabeça, o ar faltava, meu corpo pulsava no campo aberto. Enquanto decifrava sensações, percebi que era mais encontro do que choque de corpos.

As camadas do tempo se uniram e, em meu corpo ardente, algo transbordou. Uma onda forte me deixava irremediavelmente indefesa, sem controle, novamente um descampado. E não queria ser outra coisa que não aquele terreno vasto e nu.

Depois, com uma letargia gostosa, ouvi: "Agora você está em casa."

De volta ao lugar onde morava, quando Fernando chegou, eu já estava deitada. Acompanhei o som dos seus passos na cozinha, o barulho do chuveiro, da escova de dentes e depois o movimento do seu corpo invadindo os lençóis.

— Onde você estava? — sussurrou.

— Não consegui ficar lá — respondi.

— Tudo bem, amanhã a gente pensa em algo novo pra fazer — disse. Depois me deu um beijo no rosto com cheiro de bebida e hortelã.

Identidade

Lá fora, a noite bate na janela com seus braços insistentes. Aqui dentro, as letrinhas matriciais parecem se reproduzir em desordem diante dos meus olhos, imprimindo que não importa para onde se corra quando é a vida que te estupra. E foram tantos estupros desde que um exame identificou que se multiplicavam sucessivamente sem minha autorização. Crianças malignas, os filhos que tentei abortar em revolta cupinzeira.

Tremendo, peço um copo d'água e, quando o médico se distancia, levanto e saio caminhando. Tapo os ouvidos para não ouvir meu nome. Desisto do elevador, desço alguns lances da escada enquanto meu celular vibra dentro da bolsa. Não estou para ninguém. Venço os últimos degraus com as pernas bambas. Entrego-me à noite dos que encontram o fundo seco do poço da esperança.

Alguém me chama na rua. Viro-me, ainda não estou pronta, mas já não sei o que mais importa. Sheila, uma prostituta vestida de forma vulgar, me oferece ajuda. Digo que só estou um pouco cansada, agradeço e dou-lhe as costas. Decidida, segue minhas passadas erradas. Quando penso em me virar, se avança sobre a bolsa no meu braço. Tudo é tão surreal que não resisto. Fico ali estacada ouvindo o barulho dos tamancos se distanciando.

"Dá sempre a todo aquele que te pede; e, se alguém levar o que te pertence, não lhe exijas que o devolva." Já nada posso guardar, que assim seja. Sigo a esmo, dobro ruas, corto avenidas, driblo becos, contorno jardins de flores que se abrem zombeteiras. Ouço vozes, uma pequena aglomeração de pessoas ao fim de um quarteirão. Entro na fila.

— A identidade — o segurança fala para o rapaz à minha frente.

Penso na carteira que ficou na bolsa.

— A identidade — o segurança me diz.

— Não estou com ela — respondo, já pronta para ser mandada embora.

— Pode entrar, senhora.

Não quero que me chamem de senhora, não quero que me vejam como senhora, não quero me sentir uma senhora, não quero.

Após a primeira porta, uma menina rechonchuda com muita maquiagem me revista. Sinto cócegas, há muito que mãos quentes não me tocam. Ela sorri com meu desalinho. No guichê o atendente pergunta meu nome. Sem pensar, digo o primeiro que vem à cabeça. Ele me entrega uma comanda e deseja boa noite.

Encosto-me no balcão. Olho em volta, algumas pessoas procurando manter sua individualidade no breu que encobre a todos.

— Uma bebida? — o barman tatuado pergunta.

— Um Cosmopolitan, lindo.

O "lindo" salta de minha boca sem pensar. Coro, mas mantenho a cabeça erguida. Já nada importa daquela mulher que existia havia bem pouco tempo. Ajeito a roupa, conduzo as mechas rebeldes da peruca para trás da orelha enquanto observo os braços fortes trabalharem.

— Seu drinque, dona.

— Não sou dona de nada, nem de mim — digo-lhe.

Não lembro a última vez que bebi, mas o líquido rosado me conforta a garganta. Viro-me para a pista de dança, fecho os olhos, sinto a música suave, imagino alguém me abraçando forte pelas costas, o cheiro de perfume másculo misturado com tabaco.

— Primeira vez aqui? — o barman pergunta.
— Sim.
— A senhora está esperando alguém?
— Jesus de Nazaré.

Ele sorri. Pouso os cotovelos no balcão, toco a tatuagem de seu antebraço com a ponta dos dedos. Trocamos olhares provocantes.

— Mais uma?

Ofereço a comanda. Ele a segura. Não solto.

— Um pouco mais de vodca pra eu ficar feliz e querer voltar aqui — sussurro, ele sorri com o canto da boca e eu solto a comanda.

A música muda de ritmo. Tomo a bebida num gole, despeço-me manhosa e caminho até o espaço onde há mais gente dançando. Enquanto observo os corpos se movendo, a pulsação da música me leva. Fecho os olhos, levanto as mãos, giro, rebolo. A luz neon escorre sobre meu corpo, enfeita minhas misérias e limitações. Meus seios falsos chamam a atenção. Retribuo olhares. Livro-me totalmente da menina boba e crescida que fui.

Algumas músicas depois, cansada, resolvo-me por mais uma bebida. Dou alguns passos para fora da multidão e alguém segura firme meu braço. Volto-me e vejo o rosto lindo.

— Qual teu nome?
— Sheila.

Sorrio e, num último fôlego, deixo que sua boca me engula, deixo que a onda de saliva dissolva meu DNA errado, deixo que seus braços tatuados sufoquem todas as crianças aninhadas nos cantos escuros da casa que sou.

Sangrando

Aperto o botão na lateral do celular, a luz acende. Nenhuma mensagem. Reviso se está no modo vibrar. Desligo a luz e guardo o aparelho no bolso. Junto as mãos frente à barriga e respiro fundo.

O palestrante discursa, mas já nem ouço o que ele diz.

Devia deixar este mestrado, o trabalho, a cidade, o país, devia.

Vinte e seis anos, muitas pessoas nessa idade abandonaram tudo e se deram um tempo, um ano sabático, correram mundo. Estou no limite etário para estas loucuras. E se eu ficar? E se eu for e me arrepender, onde eu fico? Mal começou o segundo ano do curso e já estou cansada de Saussure, de apuds e de mentir sobre livros dos quais não gosto. Não aguento mais palestras com escritores. Estou cansada da metáfora do sangue, escrever é sangrar e o escambau. Hemingway apertou o gatilho. Agora há uma fila de escritores que sangram em teclados ergonômicos. Até gosto das palavras do Caio, querido, "Tira sangue com as unhas... A-bun-dan-te-men-te".

Esse guri. Esse palestrante de primeiro livro querendo explicar o que o leitor deve entender. O mais próximo do sangue que chegou foi o nojinho do absorvente da namorada.

Eu tinha uns 12, 13 anos quando vi o homem do saco. Se eu fosse ao psiquiatra ele diria que foi a partir dali que começou a fobia de gatos. Ainda hoje questiono por que aquele homem falou comigo. Não era parente, conhecido, nada. Às vezes, mesmo contrariando toda a lógica, a gente tem que passar por certas coisas. Um homem gordo, sujo, escabelado. Acho que ele estava querendo exibir aquela proeza, o gato miando desesperado dentro do saco. O saco fedia a cebola. Meus irmãos desfiavam aquele tipo de saco para fazer linha de pandorga. Dava para ver. Não ver, propriamente, mas perceber o gato se debatendo no escuro que devia ser dentro. Nem tão escuro, era de dia, meu pai sempre teve o lema de "prendam suas cabras que meu bode tá solto", eu não podia sair na rua sem minha mãe depois da Ave-Maria do rádio às seis da tarde. Então o homem louco colocou a mão dentro do saco. Não havia motivo para aquilo. Foi como se alguém tivesse colocado a mão na hélice do ventilador ou, melhor, nas lâminas do liquidificador. O gato alucinado zunia mais ainda e, quando o homem tirou a mão de dentro do saco eu nem via mais aquilo como uma parte do corpo humano, tamanha quantidade de cortes e sangue que escorria até o cotovelo. Queria ver esse palestrante escrever depois de tirar a mão daquele saco. Queria ter um saco daqueles para cada vez que encontrar um escritor que sangra. Se colocar no Google "Jerônio" e "cadeira de praia" vai aparecer a foto dele lá sentado na cadeira de praia com aquela cara de bobão, de quem foi gordinho na infância até espichar. Vi na TV Cultura, precisa de silêncio absoluto e daquela cadeira de praia para escrever.

O celular esquenta, vibra. Não posso falar agora, mãe. Estou numa palestra. Depois te ligo, sussurro.

A menina do banco da frente se vira e me olha como quem diz "idiota".

O que essa baba-ovo de professor queria que eu fizesse, levantasse, pedisse licença pra meia dúzia de gente e tropicasse no pé de duas, três cadeiras?

Apago a luz do celular enquanto o escritor lê passagens do próprio livro.

O que não se faz por um certificado de horas complementares para um curso que se pensa abandonar.

E se tentasse uma vaga em Coimbra? Provavelmente teria que aturar escritores sangrando em português de Portugal. "Porão e barriga cheia / Vai mais triste o capitão

/ Levando cacau e sangue, sangue, sangue." Eu devo ser a última pessoa que ainda escuta Joyce nesse país.

Foi antes do homem do saco. Eu tinha uns 8 ou 9 anos. Fazia a primeira comunhão. Sei porque não ia na igreja antes de fazer a comunhão e também não fui mais depois que comi a hóstia. Eu estava na igreja, Jesus em cima do monte e o padre terminando o sermão quando o homem entrou. O padre foi o primeiro a ver. Não entendo como não ouvimos os tiros fora da igreja. Pelo menos eu me senti pega de surpresa. "Me ajuda" foram as últimas palavras do homem. Não se tremeu como nos filmes. Caiu e ficou ali de barriga para baixo. Depois percebi o rastro de sangue, coágulos, glóbulos, nódulos, arandos, chá de hibisco imiscuindo-se pelas falhas do chão da igreja. Não havia celular à vontade naquela época. Ninguém fotografou ou gravou a polícia arrastando o corpo.

O professor toma a palavra, agradece ao palestrante e abre para perguntas.

Engraçado como esse professor sempre faz cara de quem peidou silenciosamente e agora reza para que não tenha sujado a cueca. Esse é um dos grandes mistérios da vida, ninguém pode prever quando será Hiroshima e Nagasaki. Bukowiski tinha razão, estamos condenados a "Comer e peidar e coçar e sorrir e celebrar feriados". Daqui a dois dias é Sexta-Feira Santa. Preciso terminar o artigo.

É isto: escrever é mais vida do que sangue. O tempo que perdemos escrevendo, reescrevendo, corrigindo e reescrevendo é tempo de vida. Talvez algum matemático pudesse ponderar de quantas palavras se faz uma vida. "Quanto de vida há no seu livro?", eu poderia perguntar ao escritor. E se ele não entender a pergunta ou ficar tergiversando? Deixa assim, detesto explicar. Se é verdade que as mulheres usam o dobro de palavras que os homens por dia, por que será que eles morrem antes? Clarice não sangrava, por isso sua sina de encontrar a palavra perfeita. Talvez sangrar seja essa coisa verborrágica, algo como pensar só em baboseiras. Deus, quanto de vida se perde em palestras durante um curso de vinte e quatro meses. Malditas atividades que fazemos só pra agradar o orientador.

Vibrou. Ainda estou aqui na faculdade. Você vem? Tá, te espero, sussurro.

O rapaz sentado na esquerda da menina de branco se vira e me olha.

— Algum problema? — pergunto.

— Comigo nada, mas o teu nariz tá sangrando.

Levo a mão ao rosto. Levanto, peço licença pra meia dúzia de pessoas. Chuto o pé de três cadeiras. Corro para o banheiro enquanto alguém pergunta alguma coisa ao palestrante.

Droga, a lista de presença não passou, penso enquanto tento estancar o sangue com o papel higiênico.

Malparadas

São três horas da madrugada de sábado. Estou sozinha no ponto de ônibus. Daqui a mais ou menos duas horas, passará o primeiro e poderei ir para casa. Talvez eu largue este emprego e faça um curso técnico, preciso parar de brigar com meu pai, preciso arranjar algo de dia, preciso dormir que nem gente.

 Quando pintou essa vaga no bar, fiquei muito feliz. Lá em casa, todo mundo foi contra. Meu pai fechou a cara porque quer que eu tente de novo o vestibular. Minha mãe, a todo momento, diz algo de terrível que pode me acontecer na rua à noite. Mas não é um lugar ruim, tem cerveja artesanal, mesas de sinuca, música ao vivo nas quintas e só gente bonita. Claro, às vezes aparece um homem suado, com bafo, pelos nas orelhas, essas coisas. Alguns clientes, enquanto anoto os pedidos, esbarram na minha coxa e, quando sirvo a mesa, colocam a mão sobre a minha. Coisas de que eu não gosto, mas tiro de letra. O dono do bar me avisou sobre essas situações, não quer escândalos e, de certa forma, ganho uma graninha extra pra suportar isso.

Não, não, dobre, dobre, droga! Tudo o que eu precisava era da companhia de um estranho a essa hora na parada de ônibus. Ele chega, calça jeans surrada, sapato preto comprado em liquidação.

— Tem horas?

— Não tenho — respondo, enquanto penso no celular dentro da bolsa.

Ele titubeia, olha pros lados, coça a cabeça ensebada. Conheço bem o tipo, certamente está esperando uma oportunidade.

— Você está aí faz muito tempo? Sabe que horas passa o próximo?

— Não sei, cara, estou só esperando meu namorado que já está chegando.

Às vezes essa mentira funciona. Ele se escora no pilar do ponto de ônibus, seu olhar é estranho, viro a cara, busco algo no horizonte escuro. Ninguém em volta. Se eu sair caminhando será uma confissão de medo.

Meu corpo se arrepia, uma silhueta se forma na escuridão. Que seja uma mulher ou, se homem, um velho com uma bolsinha de empresa de segurança.

Ela chega cambaleando. O cheiro de bebida toma conta do espaço aberto. Até os mosquitos parecem dispersar. Uma senhora com cabelos mais brancos do que os da minha mãe. Não está malvestida, mas é tão deprimente que o cara me olha buscando a cumplicidade fingida dos sóbrios.

— A senhora tem horas? — o homem pergunta.
— Não tenho nada, não quero conversa com ninguém!
— Espera aí, dona, só fiz uma pergunta.
— O senhor fique na sua que hoje eu não estou boa.
— Fique na sua, você, bêbada escrota.

Muito rápido, ela tenta agredir o homem, e, trocando os pés, cai no chão com o empurrão que ele lhe dá.

Enquanto o homem gargalha, custosamente pego nas mãos úmidas e frias dela e a faço sentar no banco do ponto de ônibus, ofereço o líquido da garrafa que sempre trago comigo desde que comecei a fazer jejum intermitente. Ela bebe com pressa. Depois de perceber que é água e não bebida alcoólica, joga a garrafa no chão e começa a gritar que eu a havia enganado, que eu era igual a todas as outras e, meio tonta, sai caminhando.

— Senhora, espere! — digo, enquanto recolho a garrafa.

Sigo-a pela rua. Quando olho para trás, a parada de ônibus está vazia. Ao alcançá-la, seguro em seu braço. Ela se vira e, em silêncio, olha-me fixamente. Não entendo o que estou fazendo, mas fico com a impressão de que seja pelo cheiro que lembra o perfume de minha avó, por baixo do odor da bebida, seja por invejar sua força, mesmo bêbada, em enfrentar aquele sujeito.

— Você a conhece?

Olho em volta e estamos as duas no meio do nada.

— Quem? — respondo, tentando entender o que ela quer dizer.

Ela mexe a cabeça um tanto decepcionada. Respira, ajeita a blusa, passa a mão nos olhos úmidos e depois nos cabelos buscando algum equilíbrio.

— Não é nada, meu bem, desculpe as besteiras que eu fiz.

Sua voz agora é calma, firme. Nesse momento, levanto a cabeça e percebo que somos iluminadas pela lua.

— Está linda a lua — digo, como quem comenta sobre o tempo no elevador.

Ela sorri, um sorriso esperançoso de garotinha.

— Obrigada por me ajudar, você ainda tem água aí?

— Claro — digo e novamente coloco a garrafa nas suas mãos.

Satisfeita, ela bebe devagar.

— Vamos voltar para o ponto de ônibus?

— A senhora estava indo para onde?

— Não sei, acho que pretendia caminhar até em casa. Tomar um ar. Como você disse, a lua está tão bonita.

— Então vamos caminhando, aquele maluco ainda deve estar lá. Aliás, quem a senhora acha que eu conheço?

— É uma longa história, menina.

— Nós temos tempo. Se quiser, pode me dizer; sou boa em guardar segredos.

— Não é segredo, é que sou uma velha boba. Está vendo esta roupa de festa, esta maquiagem toda borrada? Você me viu querendo bater naquele homem? Eu sou assim mesmo.

Começamos a rir como duas amigas de muito tempo que se lembram das besteiras do passado.

— Eu também sou uma boba, estava naquela parada morrendo de medo, a senhora me salvou.

— Eu estava perguntando sobre a Lídia. Ela teria gostado de você.

— Quem é Lídia? Sua filha?

— Não, Lídia é minha amiga, minha única amiga. Ela sempre vem quando não há mais ninguém por ela. Depois de um longo tempo sem notícias, eu já conseguindo me enganar com a rotina, ela reaparece. Aquele olhar de criança envergonhada torna as palavras apenas desnecessárias. Então eu a aceito e deixo que o abraço resolva tudo, que ligue todas as pontas soltas, mesmo sabendo que abraços também são máscaras usadas por corações egoístas. E temos ciência do nosso egoísmo, bordamos tudo ao nosso redor com esse sentimento.

Nesse momento, ela se distancia um pouco. Fala olhando para a frente, talvez um tanto envergonhada. Eu a sigo, margeando o passeio, dando o espaço que ela parece precisar. De repente, para e se vira com uma expressão de alívio.

— Tudo bem? — pergunto.

— Tudo. Agora me dei conta de que nunca havia falado da Lídia para ninguém.

— Ela deve ser muito especial para você.

— Ela é. Ela enche de ar a minha vida solitária de aposentada com suas histórias, com os nomes das suas conquistas, pequenos balanços em que ela brinca um pouco até cair e precisar de mim. Eu a ouço como quem relê um livro, deixando o enredo repetitivo no fundo da cabeça e me atentando aos pequenos detalhes, às pequenas variações que só enxergamos com ajuda da intimidade. Covardemente alimento-me das suas quedas e lhe ofereço minha solidez fingida. A solidez de quem aos 63 anos não consegue lidar com o que vem de dentro e, mesmo vivendo entre portas certificadamente trancadas, ainda espera que algo bom possa entrar.

— O que a senhora fazia quando não era aposentada?

— Professora de matemática. Preocupei-me tanto com os números que deixei de lado as pessoas. Sobrou-me apenas a Lídia. Ah, se eu pudesse voltar a ser jovem como você, ter toda a vida pela frente. Você deve ter muitos amigos.

— Tenho sim — menti.

— E o que você faz a esta hora na rua? Vindo de alguma festa?

— Sim, fiquei sem carona e acabei no ponto de ônibus. Mas e a Lídia?

— A Lídia reapareceu na quarta passada. Eu estava em casa, já não chorava nem sorria, apenas bebia cada vez mais sozinha. E, no meio do abraço, voltamos ao que sempre fomos: duas amigas, duas mulheres que se sabotam, mas que sempre voltam. E num mergulho sem muito estardalhaço ela entrou no meu guarda-roupa, na minha carteira, na minha vida. E eu deixei porque, assim, na vergonha, bebia menos. Grudadas, fomos para as ruas, parques, restaurantes, cafeterias e bares. Algumas horas atrás, no início da noite, ríamos do deserto de carcaças deambulantes que sabíamos tão iguais a nós antes do abraço. Então...

— Então? — perguntei, quando ela se calou, quando lágrimas correram pelo seu rosto.

— Na proximidade, quando o tocar começa coçar as feridas malparadas, aparece um pretexto, uma brisa noturna, uma menina igual a todas as outras. E eu, com meu bronzeado artificial se decompondo no mais escuro de um baile qualquer, disse: vai, vai lá, eu sei me cuidar. Então eu bebi, bebi até meus braços e joelhos formigarem, até as pessoas começarem a rir do meu arrastar de pés. Daí o medo de que ela nunca mais voltasse me fez sair caminhando, até chegar naquele ponto de ônibus.

— Ela vai voltar — disse, sem muita convicção.

Não muito tempo depois, quando suas mãos não estavam mais frias, abraçou-me. Antes de entrar num prédio, agradeceu por tudo, pediu meu celular, e eu inventei o número na hora.

Segui caminhando mais um pouco, olhando longe no horizonte e pensando se Lídia realmente gostaria de mim.

Memória da delicadeza

Sheila segura firme a bolsa. Corre. Dobra uma, duas ruas em sequência. Corre mais e se esconde no recuo de um prédio em construção. Quieta, olha na diagonal para o caminho de onde veio. Espera. Depois, percebendo que o silêncio não é perturbado, sorri. Apenas o porteiro do prédio da frente, acordado pelo barulho dos tamancos na calçada de pedra, a observa.

Sai do esconderijo e caminha vitoriosa até o Madame's Club. Acaricia o couro da bolsa no reservado do vestiário, o logotipo triangular, as letras prateadas, nunca havia visto uma costura tão perfeita. PRADA-MILANO; quem sabe um dia não levantará uma grana na Itália.

Desejosa, mete a mão na carteira, no molho de chaves, no nécessaire e nos papéis diversos. Desliga o celular. Mela-se do creme de mão, cheira profundo e de olhos fechados. Enfia o dinheiro da carteira no sutiã, demora-se nas diferentes bandeiras dos cartões de crédito até que alguém bate na porta.

— Está ocupado.

— Sou eu, abre!

— Já vou — diz, enquanto dá uma geral rápida na bolsa para saber se há algo que ainda possa esconder.

Ao abrir a porta, Madame está escorada na pia de granito manchado.

— Você etende morar no banheiro do meu estabelecimento? — Madame diz, com os olhos fixos na bolsa.

— Estava agendando com um cliente no celular.

— Que bolsa é essa? — pergunta, tomando-a das mãos de Sheila, que não opõe resistência. — Isto é coisa muito fina para uma pessoa como você.

— É minha — responde, mas a voz fica quase toda dentro da boca.

— Amapoa, você sabe que não quero polícia aqui — Madame diz, olhando a foto no documento da carteira. — Pra não dizer que eu sou ruim, vou ficar com ela e liberar cem na tua cota de hoje.

Sheila sabe que o que vem fácil vai fácil, mas a voz de tenor de Madame chega sempre como um tapa. É puta, sim, teria disposição para cortar a cara toda dessa vaca, mas e depois: polícia ou cemitério?

— Cem é pouco, você sabe — tenta barganhar.

— O que eu sei é que aqui dentro quem põe preço sou eu. Tira esses trapos, dá um jeito nessa cara e vai pra pista. Vamos faturar, o capitão disse que o PP de hoje é 200 por cabeça, lembra que ainda me deve 1.600 dos peitos e 500 das roupas, querida.

Sozinha novamente, Sheila abre seu armário na parede, esconde bem no fundo o dinheiro guardado no sutiã e suspira. Depois do banho rápido, coloca a roupa de trabalho, o perfume obrigatório e sai do vestiário.

Madame anda de um lado para o outro no salão principal. Empurra as meninas, xinga o traficante da casa, propõe o leilão de uma novinha, tudo sem muito sucesso. A noite está fraca, reflexo da crise, os clientes só querem beber cerveja nacional e apalpar sem compromisso. As mãos sutis nas ruas e no transporte público mostram-se corajosas no puteiro.

Sheila não está com paciência de ficar sustentando o sorriso, o jeito sensual não ordinário. Depois de duas horas caminhando pelo salão, sai de fininho pelos fundos.

As ruas à noite são como corredores de grandes supermercados, é preciso saber onde expor o produto para fazer um bom negócio. É preciso também ter muita disposição pra ficar viva, a concorrência é desleal. Quem está começando ou quem não se garante na mão acaba nos pontos mais iluminados, lugares preferidos dos bêbados e dos adolescentes sem dinheiro e com vontade de esculachar.

Sheila sabe que os melhores clientes preferem privacidade, ruas mais escuras. O problema é que os mais violentos também. É uma névoa que alcança a todas, e ela já não tem nada a perder.

Quando as pernas reclamam do salto do escarpim vermelho, após duas chupetinhas e algumas negociações, entra no automóvel de um cliente conhecido. O frio fica do lado de fora, nada do medo de entrar num carro e não saber se conseguirá sair.

Durante o trajeto, ela é tímida, meiga e doce; nenhum me trata como você.

No quarto do motel, a puta reaparece; bem gostosa, como Leite Moça babando pelos cantos da boca.

O prazer é sempre dobrado, quando pagam e quando saem.

Às vezes é multiplicado, quando drogados se esquecem e pagam de novo.

De volta à rua, além de bêbados vazios, o horizonte se mostra deserto. Sem perceber, pontos claros começam a furar o cinza do céu.

Com a idade chegando às pernas, abandona o ponto e caminha até o Bar Café Restaurante 24 horas. Pede um pretinho e uma fatia de Marta Rocha ao garçom e senta-se perto da janela.

Enquanto espera, observa duas colegas conversando na mesa mais à frente.

— Garota de programa que tem ética não quer vida de amante — diz uma.

— É a revolução sexual — diz a outra.

A dualidade que pesa no corpo e na alma, Sheila pensa.

— Já te falei que meu sobrinho já tá todo jeitosinho, até enrola a cueca para parecer calcinha — diz a primeira.

Então as duas riem. A memória da delicadeza faz Sheila rir junto.

Logo o garçom traz o seu pedido. As mãos tremem ao sentir o gosto doce. Depois bebe um gole do café sem açúcar pra serenar.

Limites

— Por gentileza, pode me trazer outro Manhattan — diz, conferindo as horas no relógio.

Enquanto o garçom se dirige ao bar, percebe Duran chegando. Havia algo no seu jeito de andar, nas cores irregulares da pele das bochechas e do nariz. Algo de quem foi um menino cheio de certezas. Agora o galopar da idade começa a decompor os músculos e revelar as dúvidas.

— Você está tão linda que se eu pudesse tirava a tua roupa aqui mesmo.

— O que te impede? — Vilma diz, ao se levantar.

— Você gosta de plateia? — Duran sussurra, durante o abraço.

— Gosto de tudo, incluindo você.

— Não diga isso.

Depois de pedir uma bebida ao garçom, ele retira do bolso do casaco um estojo, abre-o e desliza sobre a mesa. Vilma se depara com um colar de ouro branco e pedras preciosas.

— Me sinto uma prostituta quando você me dá esses presentes — fala, tocando no brilho das pedras do colar.

— Isso não é necessariamente ruim.

— Duran, não estamos num filme de máfia italiana.

— L'unica cosa che voglio è una tregua, mamma Corleone — ele diz, tentando cultivar o humor dela.

A conversa segue por pouco mais de uma hora. Fumam, bebem e falam sobre o período em que estiveram afastados; tudo permeado por olhares e frases de duplo sentido, por mãos que se procuram por cima e pés por baixo da mesa.

Não muito depois da voz dele começar a perder o grave, o primeiro tipo de fim que ela já sabia identificar, deixam o restaurante.

Com o carro em movimento, Vilma acende um cigarro.

— O que vai fazer com o dinheiro? — Duran pergunta.

Gostava mais quando não perguntava, quando não pedia e ela podia só se afundar. Não na cama, mas na certeza da pele, dos cabelos macios do antebraço, do perfume que só ele tem. No entanto, agora havia muitas perguntas sem resposta.

— Não penso nisso — responde, desviando o olhar.

— Estou feliz por você ter voltado.

Vilma concentra-se no ato de fumar e na mão dele, que de vez em quando lhe faz leve pressão na perna como se fossem dois namorados em viagem de carro. Aceita sua parte da culpa. Lembra-se do dia em que disse estar de acordo.

Ao terminar o cigarro, olha-o e percebe algo ali naquele espaço sobre o canto da boca onde a barba faz a curva. Leva a mão atrás da orelha e aperta-lhe o pescoço. Duran se contrai como quem diz "continua". Ela continua, talvez nesta noite consiga ir até o fim.

O carro para no sinal e se beijam com ternura.

— Você é diferente — ele diz, em tom lisonjeiro.

Vilma acende outro cigarro e começa a tremer quando o carro estaciona.

A casa, herança dos pais de Duran, fica a meia hora do restaurante. Ela gosta do cheiro de madeira, de estar naquele lugar um tanto antigo. Gosta também dos retratos de família sobre a lareira.

Beijam-se na varanda. Depois, entre risos nervosos, entram na casa.

Ela o abraça forte quando vê o envelope do dinheiro sobre a mesa.

— Calma, não precisa ficar assim. Não há o que temer — ele fala, olhando fixo nos olhos dela.

Na cama, começa a despi-la pelos sapatos e meias. Beija a palma dos pés, engole os dedos com vagar. A saia se arrasta pelo corpo com obediência. Logo a blusa, botão por botão, sem pressa.

Vilma recebe aquilo com atenção; seus peitos, seu corpo, seus sentidos oscilam.

Mas se deixa afundar até quase chorar de prazer e de talvez.

Não há o que temer, ele lembra.

Então ela segura a ponta da cinta de couro que circunda o pescoço dele e faz força, puxa como se pudesse demovê-lo. Com a falta de ar, nasce uma espécie de sorriso no rosto de Duran e, por um momento, há paz.

Então ele goza as certezas e sobra para ela apenas medo, muito medo. O coração vacila e as mãos desistem, abraçam como se fosse possível protegê-lo dele mesmo e de mulheres como ela, que não conseguem ir até o fim.

Então ele a empurra na cama e vira de costas, como se a derrota fosse toda dele. Nesse momento, tremendo, ela lembra que os cigarros haviam terminado.

Sem a gente lá

Clarice recusa-se a participar de grupos. Foi assim no colégio, na faculdade e no trabalho. Ao ser demitida do último emprego, ouviu quieta quando disseram que não sabia trabalhar em equipe. Anunciada a decisão de experimentar a vida de motorista de aplicativo, primeiro foi o marido, os filhos, depois os pais e então os irmãos, todos com a mesma ladainha do "se". Se acontecer, aconteceu, defendia-se da neurose por segurança. Então saiu também do grupo da família no aplicativo do celular.

Foi mais fácil acostumar-se às longas horas sentada do que às reclamações dos clientes sobre o trajeto, direção cortês demais e água grátis não suficientemente gelada. Depois de alguns meses, já recusava sem grandes constrangimentos os convites de colegas que insistiam em incluí-la em variados grupos de motoristas dispostos a ajudar "se algo acontecesse".

Num dia de insônia, saiu mais cedo para trabalhar e, como primeiro cliente, uma mulher de cabelos brancos entrou no carro carregando uma bolsa térmica. Clarice a cumprimentou pelo nome visualizado no aplicativo, Lucina. Mais do que o nome, achou incomum o destino, mas considerou atraso do GPS e esperou a correção em seguida. No entanto, o trajeto não atualizou e, quanto mais o carro se aproximava do destino, mais a situação tornava-se estranha. O que a passageira pretendia àquela hora no morro mais alto da cidade? Durante todo o trajeto, observou pelo espelho retrovisor. As roupas e o comportamento nada denunciavam, mas a expressão pesada da passageira deixava a motorista mais insegura.

Chegando lá, quase no topo, a mulher pediu que esperasse meia hora. Clarice se recusou. A passageira ofereceu-lhe uma quantia suntuosa e ela acabou aceitando desligar o aplicativo. Então, enquanto Lucina seguia com a sacola térmica por uma estrada de terra rumo ao ponto mais alto do morro, ela se trancou dentro do carro e pensou que nessa situação poderiam ser úteis os tais grupos no celular.

A passageira voltou no tempo combinado. Entrou no carro como se nada tivesse acontecido e pediu para ser levada de volta ao lugar do embarque. Durante o trajeto,

Clarice percebeu que ela estava mais tranquila, falante, mas não teve coragem de perguntar o que havia feito lá no morro. Ao fim da corrida, a mulher agradeceu imensamente e pediu o número do celular; gostaria de contar com o excelente serviço prestado naquela manhã nas próximas vezes. Clarice não entendia o significado de "excelente serviço" e "próximas vezes", mas pensando no dinheiro recebido, passou o número.

Pelo menos uma vez por semana o celular tocava, e a ida matutina até o morro tornara-se rotina. Um colega mais velho que havia rumado do táxi para o aplicativo se lembrou da existência de um bar-restaurante e um pequeno parque de diversões lá no topo do morro nos anos 1970. Agora, apenas as antenas abandonadas e uma vila crescendo em direção à estradinha de chão.

Tomada pela dúvida entre ser coisa de drogas ou feitiçaria, antes da passageira desembarcar do carro, pergunta como quem não quer nada o que ela faz lá em cima. Como resposta, Lucina abre a bolsa térmica e mostra o conteúdo, uma garrafa de espumante e duas taças, fecha a bolsa e solicita que a espere como de costume.

Decidida a desvendar o mistério, alguns minutos depois do "como de costume", fecha o carro e segue pela estradinha rudimentar por onde a cliente sumia.

Ao alcançar o ponto mais alto, encontra-a sentada sobre uma pedra bebendo tranquilamente. Deve ser louca, pensa ao vê-la não fazendo nada de incomum.

— Venha, sente aqui — Lucina chama, ao se perceber observada.

— Desculpe, não queria interromper — Clarice diz, um tanto desconfortável.

— Você não interrompe, eu sabia que mais cedo ou mais tarde isso iria acontecer. Trouxe até uma taça pra você — Lucina diz, já enchendo a taça e a entregando pra Clarice.

Ela senta-se a uma distância amigável, mas segura. Dá um pequeno gole, mesmo sem saber ainda o que aquilo tudo significa.

— Você já tinha visto a cidade de longe? — Lucina pergunta.

— Como assim?

— Não vê o quanto tudo é maravilhoso sem a gente lá?

A falta de regularidade da longa planície limitada pelo lago desnuda uma parte ignorante da percepção de Clarice. Quando se vira para o leste, da mesma forma que o sol escala o céu, vê casebres desbravando morros até o cume. Nos espigões envidraçados que maltratam o horizonte, apenas um tempo pior assentando sobre um não tão bom. Suspira profundamente ao perceber que não há grandiosidade fora dos desígnios da natureza.

Mesmo sem perceber, agora Clarice faz parte de um pequeno grupo que sente paz ao imaginar a cidade vazia.

Toda a verdade

Olho dentro do armário da pia, abro a geladeira para pensar. Se eu tivesse pai, tudo seria diferente? Fugindo do inútil questionamento, destampo a chaleira e a voz antiga de mamãe pula: "O único pai que você terá é teu avô!" Assim, com um novo chiclete de tristeza grudado na raiz dos meus cabelos, abro a torneira para que, além de mim, a chaleira também fique cheia.

Quando vovó tinha palavras, repetia que tudo na vida sempre tem dois lados. Fazia questão de filtrar para mim a parte verdadeira das histórias contadas por vovô. "Teu avô está sempre com a cabeça nas nuvens, como quem planta um sorriso que floresce gargalhadas", ou "gaitadas", como ela dizia também sorrindo. Então, ia para a cozinha preparar um cafezinho para os dois. Mesmo mamãe atestando não fazer bem café àquela hora da noite, ela sempre, nem que fosse escondida, mantinha a última etapa do ritual: história contada, parte verdadeira, gaitada e cafezinho.

Dias depois, o telefone tocou quando a panela de pressão nos batizava com cheiro de feijão cozido. Eu estava perdida no teto de estrelas brilhantes do meu quarto, mamãe na casa da vizinha e vovó na sala lendo alguma coisa porque não tem barulho de TV na minha memória.

O grito de vovó me assustou infinitamente mais do que agora a água transbordando da chaleira. Fecho a torneira tão rápido quanto desci de minhas estrelas brilhantes e corri até a sala naquele dia.

Antes, ainda, de vovô sair de casa com uma malinha, trabalhando para que o turrão não desistisse da viagem — "Pela idade, será a última vez que você verá o seu irmão" —, as palavras de vovó se acumulavam a colheradas fazendo um morrinho coeso como, agora, faço com o pó de café no filtro.

Sobre o fogo, as notícias e o molhado no alumínio da chaleira vão ficando incompletos: "Diretório regional do partido homenageia deputado que estava a bordo", "Torcida faz momento de silêncio em memória do ex-presidente do clube morto no desastre aéreo". Nesses momentos, mamãe trocava de canal ou desligava o aparelho; nós três sabíamos que o marido da minha avó, o pai da minha mãe e o meu avô e mais outras tantas pessoas também estavam naquele voo.

Como o eco de um grito, muito da substância de que éramos feitas se transformou. Na escola, as pessoas me descobriram. Eu era o mais próximo que elas podiam estar do acidente. Mamãe trabalhava ainda mais. E vovó, aguardando o eterno desembarque, perdia as palavras.

Cada dia é um passo para longe que as coisas dão de nós. Tanto que perdi as contas do quanto vovó já não diz. Apesar de tudo, mantendo minha parte no acordo secreto entre mamãe e eu, depois do banho, minhas mãos descoordenadas penteiam vovó. Já de uniforme, escolho a roupa que ela usará para me levar à escola. Abro seu roupeiro, separo as peças mais coloridas e a visto como se fosse minha boneca grande. Às vezes, escolho as piores combinações para ver se reclama, mas, tragada pelo silêncio, aceita.

Ao tomar conta dela, a neta se apequena em mim. Nos dias em que meu tema da escola é fácil, deixo-a ver um pouco de desenho animado. Entre um desenho e outro, às vezes, dou-lhe a tarefa de fazer tranças nas bonecas. Quando seus olhos se perdem na janela, faço uma aranha com a mão subindo no seu ombro da mesma forma que vovô fazia. Ela sorri. Um sorriso frágil e espalhado feito nuvem, um sorriso que nem faz cócega na semente da gaitada.

De repente, enquanto a água quente ajuda o pó a vencer o filtro, levanto os olhos e percebo, na porta da cozinha, vovó a espreitar toda a verdade. Pela primeira vez, um sentimento descompassado, uma vontade de largar tudo, o amor goteja-nos mais duas xícaras.

Acho que era novembro de 1983

O filho feio da professora de história. A menina que perdeu a calcinha na última festa. O cara do cabelo seboso. A menina da cocaína. Um a um, Alice ia listando quem iria à festa naquela noite.

Eu já começara a planejar a fuga, mas o problema é que minha mãe havia lido em alguma revista que os pais precisavam passar mais tempo com os filhos e então me obrigava a ficar ao lado dela no sofá enquanto passava uma novela idiota em que as pessoas se jogavam comida. E não era só isso, nos comerciais, momentos de tortura, fazia perguntas constrangedoras para ver se a onipresença da Roberta Close na TV não estava me influenciando.

— É ir ou ir, tenho até medo de pensar que no segundo grau podemos ficar em escolas diferentes — o lado canceriano de Alice choramingava. — E não esquece dos cigarros — sussurrou, como se ela pudesse apanhar junto se eu fosse pega roubando os cigarros do meu pai. Então deu uma pausa e falou em tom de provocação:

— Vitinho disse que nem você seria tão estranha a ponto de ficar de fora dessa festa.

Naquele tom em que ela falava, até de olhos fechados eu podia ver nascer no rosto de Alice o sorriso de sempre. Um sorriso que notei pela primeira vez lá na sexta série quando o que Vitinho dizia ou deixava de dizer começou a se intrometer nas nossas conversas. Ele não era um príncipe ou galã, mas não era feio, tirando aquelas espinhas-monstro na cara. Pena que sempre exagerava na cerveja e havia estacionado na fase das guampinhas nas fotos.

— O Juca vai — ainda disse, já cruzando o portão com aquela expressão de quem acha que está por dentro dos lances. Nunca havia olhado para o Juca dessa forma e imagino que isso também não tivesse passado na cabeça dele. Apesar de ser o menos idiota dos meninos, era muito quieto para mim.

Lembro bem daquela tarde, da angústia avançando com o passar das horas. Pensar que era a última festa antes da formatura me dizia que eu devia ir, mas meu pai ancorado na poltrona da sala parecia um sinal pra me aquietar em casa. Depois da fatídica novela, tranquei-me no quarto, briguei bastante com o guarda-roupa e com o espelho e, inspirada pela Grace Jones na capa do disco, cortei com gosto e medo meu cabelo bem curto. Penteei por meia hora tentando encontrar alguma forma no que restou. Então, calça de brim, camiseta preta do Bowie, maquiagem metálica e, pé por pé, consegui sair sem ser vista ajudada pelo ronco do meu pai que preenchia o silêncio da casa.

A festa seria na casa da Verônica. Os pais dela deviam ter viajado para cuidar da avó, que havia se operado de alguma coisa na coluna, ou podiam estar em algum lugar com cassinos. Não lembro. Ao chegar lá, travei na frente da porta. Busquei apoio no céu, mas a lua não ajudava metade aberta metade fechada. Aquela casa de paredes frias, cortinas escuras combinando com a estampa antiga dos móveis e tapetes por todos os lados atiçando minha rinite, queria me deixar doente. De uma forma torta, tudo ali fazia sentido com estranha customização que Verônica sempre fazia no seu uniforme da escola, a ponto de deixá-lo com cara de roupa de segunda mão.

Ao entrar, fui recepcionada pelo flash da Polaroid. Verônica estava a cara da mãe, talvez até da avó com uma franjinha, mas, ainda assim, bonita. Sacudiu a foto me olhando com uma expressão estranha que também combinava com a decoração. Fiquei com dúvida se era pela minha presença ou pela ausência do meu cabelo. Perguntei pela Alice e ela apontou a cozinha.

De longe, Alice parecia feliz. Boba, mas feliz. A maquiagem exagerada, os brincos neon, cada fio do cabelo crespo domado para fora como se tivesse tomado um choque, tudo nela anunciava o que de melhor viria depois que o ano acabasse.

— Essa festa está a maior deprê — ela disse, no meio do abraço.

— É cedo, Alice, vamos beber — respondi.

Nem bebendo, nem pulando do Idol pro Bowie, do Bowie pro New Order e, por fim, apelando para o ABBA, a festa decolou. Seria mais memorável colocar o LP da Bonnie Tyler e cortar os pulsos em grupo.

Quando Vitinho e Juca chegaram, estávamos já conformadas no sofá. Alice segurou minha mão como se iniciasse uma música lenta na vitrola e o garoto mais bonito do colégio estivesse vindo retirá-la para dançar. Verônica, a porteira, embarreirou os dois. Naquele momento, ninguém fora do sofá escaparia se eu tivesse a metralhadora do Al Pacino nas mãos.

Cumprido o ritual da Polaroid — flash, sacode, sacode, sacode —, os dois vieram direto até nós.

— Essa festa morreu — disparei, antes que pudessem falar qualquer coisa. Imediatamente Alice e eu ficamos de pé e, notando o levante, Verônica veio ordenando as posições para uma foto, as meninas sentadas e os meninos na guarda do sofá. Depois dissemos que iríamos tomar um ar no pátio e saímos.

— Chega a cem quilômetros em poucos segundos — Juca falou, se vangloriando do carro do pai. Daí Vitinho, no banco da frente, deu uma gargalhada sem sentido, sacudindo de forma estranha a cabeça. Alice e eu, no banco de trás segurando as bebidas roubadas da festa, nos olhamos e rimos também.

Com uma batida seca o pneu venceu um buraco e chegamos à beira do rio. Não lembro que horas eram, mas, com certeza, já passava das duas. Fora do carro, Vitinho pegou uma das garrafas e Juca ficou com a outra. Se minha mãe me visse agora, era cadeia na certa.

O vento era frio. Alice segurava forte meu braço enquanto caminhávamos e me olhava a cada barulho esquisito.

— Devia ter trazido a Polaroid da Verônica para registrar essa tua cara — disse.

— Até que gostei do teu cabelo assim, agora é só engordar um pouquinho e você pode fazer cover da Sandra de Sá — retrucou.

A gente se olhava e ria a ponto de se esquecer dos meninos que continuavam ao nosso lado.

De repente, Vitinho saiu correndo ressuscitando a gargalhada de louco. Pedi um gole da vodca para Juca, que me entregou a garrafa quase vazia. Enquanto a bebida esquentava minha garganta, Alice, sem que eu pudesse conter, deu um risinho e saiu correndo na direção de Vitinho.

Travei quando se beijaram. Não sabia se continuava seguindo ou se voltava. Uma tristeza me abateu. Olhei para os lados, avistei uma pedra grande em que poderia sentar e pra lá caminhei. Tremia olhando para o rio que parecia conversar com o vento enquanto o silêncio constrangia Juca e eu. Ele me beijou meio sem jeito e não senti nada além do gosto estranho da saliva. Quando sua mão começou a subir na minha perna, num impulso, o empurrei. Desequilibrou-se e caiu no chão de terra e grama úmida.

— Você é muito estranha mesmo — falou, levantando os braços como se preparando para uma briga. Também desistindo de mim, saiu caminhando pesado na direção do carro.

Sozinha, um pouco trêmula com o isqueiro e o vento e tudo o mais, acendi meu primeiro cigarro. Suguei rápido a fumaça e senti o peito queimando. Por um segundo, tudo parecia que ia ficar bem. Então, algo amargo prendeu-se na garganta. Tossi sem controle feito uma tuberculosa. Forçava a tosse pra me livrar de algo mais profundo, um vazio gigante de tudo o que eu não tinha. Toda a minha fumaça.

Chorando por não poder enrolar meus cabelos nos dedos e por tão solitário que me pareceu o mundo naquele momento, retirei da bolsa a fotografia que Verônica havia me dado e torci para aquela imagem ser o espelho do futuro. Nela, Alice continuava feliz. Boba, mas feliz.

Estômago

Como um cobertor frio, a neve cobre a nossa terra. Nessa cama branca que se tornou o sul do país, não somos desejados. Talvez nunca tenhamos sido, mas resistimos feito um polvo do deserto agarrado ao passado em que a visão do sol após cada noite permite suportar o presente.

Eu pensava nessas coisas enquanto ouvia o radialista dizer que, de acordo com especialistas, as águas do Oceano Pacífico haviam esfriado e isso fez o inverno chegar antes na América do Sul. O pior inverno da história, não havendo como prever quando essa onda de frio iria terminar.

Conhecíamos a chuva que vinha, voltava e escorria ladeira abaixo levantando o nível do riacho. Também havíamos sobrevivido às chuvas de gelo que estragavam os telhados. Estávamos até acostumados com o branco da geada coroando o verde dos campos. Mas neve assim só nos filmes da TV.

Nessa incompreensão, mamãe brigava com papai por não ter mandado consertar a televisão quando era possível. Rodava o dial e resmungava que agora éramos reféns deste rádio velho que só pegava uma estação. E se estiverem nos enganando? E se esta bosta branca não parar de cair do céu? Papai enfadado coçava a testa, olhava para mim com um sorriso frágil no canto da boca e saía para acender um palheiro, olhar os bichos no galpão e contabilizar as perdas.

Fomos ficando sozinhos em nossos domínios. Primeiro morreram as galinhas. Depois passamos a encontrar diariamente um bezerro congelado. Agora que o frio se intensificou, o gado que já era pouco começou a definhar.

Não foi muito diferente com as pessoas do povoado. No começo, desconhecidos gritavam em nosso portão tentando vender coisas que mamãe dizia ser fruto de roubo. Depois de um mês de frio intenso, eram nossos vizinhos que traziam algum produto e ofereciam em troca de algo do pouco que produzíamos. Lembro de uma vez em que papai trocou um bezerro por uma caixa de abacates. Ela ficou enlouquecida, dizia para ele sentar em cima dos abacates até amadurecerem naquele frio. Por fim, a fome e a raiva fizeram famílias colocar tudo sobre carroças, carros e tratores e abandonar as terras.

Quando papai estava na janela a coçar a barba, sabíamos que pessoas conhecidas passavam pela última vez em frente à nossa casa.

Dia 20 de julho completei 17 anos. Chorei a manhã inteira com a impressão de que estávamos sozinhos no mundo. Mamãe me deu seu cachecol e chorei mais ainda. Minha irmã me abraçou dizendo que no próximo aniversário tudo seria melhor. Papai passou a manhã enfurnado no galpão; certamente limpando, escovando os animais, tentando dar algum conforto aos que resistiam.

Na hora do almoço, o rádio levou um longo tempo até sintonizar. Demoramos a digerir o que o radialista falava. Os governantes dos estados que compunham o Sudeste do país tinham, depois de muitos debates, decidido bloquear a passagem dos milhares de sem-teto do Sul. De acordo com eles, não havia disponibilidade econômica para receber tanta gente. Os que conseguiram entrar já produziam mudanças indesejáveis nos índices de violência da região. Um militar, em seu sotaque enjoado que prolongava o r e pronunciava estranho algumas vogais, dizia na entrevista que o exército estava à disposição do governo federal para manter a ordem.

Um desespero mudo instalou-se em nossa mesa. Quando o entrevistado colocou em palavras que os estados do Sul deveriam se ajudar antes de exigir que os demais pagassem por seus problemas, mamãe levantou, pegou o rádio e o atirou contra a parede. Nenhum de nós tentou impedir; a fome moral também nos atingia. De cabeça baixa, continuamos a comer o que ainda tínhamos em nosso prato.

Partes da casa foram sendo abandonadas. Já não suportávamos olhar do lado de fora das janelas do segundo andar a linha do horizonte, que dizia que aquilo não tinha fim. Para termos certeza de que sobreviveríamos a cada noite, amontoávamo-nos em frente ao fogão a lenha feito uma ninhada de gatos dentro de uma caixa de papelão. Toda coisa que ainda mantinha um pouco do calor do passado nos alimentava de vida. Assim, antes de dormir papai e mamãe contavam histórias de sua infância e juventude.

Provavelmente já era agosto quando começamos a ouvir barulhos estranhos ao redor da casa. Fomos proibidas, minha irmã e eu, de sair no pátio sozinhas. Trouxemos para dentro de casa a vaca que sobrou. Nós a deixamos na peça dos fundos onde num passado recente havia sido o quarto de mamãe e papai. Desmontamos a cama e os armários e empilhamos as madeiras próximo do fogão a lenha para dar mais espaço ao animal. A decisão de reaproveitar a madeira dos móveis que não mais utilizávamos para manter o fogo deu-nos certo alívio. O problema é que o mugido de frio e fome da vaca nos enlouquecia. A batida nervosa dos cascos no assoalho parecia ser capaz de derrubar a casa enquanto tentávamos dormir. Minha irmã me abraçava debaixo das cobertas e a memória do cheiro natural de seus cabelos me acalmava.

Papai estava cada dia mais impaciente, não conseguir tomar conta de nós o martirizava. Mamãe conservava a racionalidade, dedicava-se ao asseio e à ordem da casa, mas a aparência estranha e miserável de nossas roupas a desagradava a ponto de não parar muito seus olhos em nós, suas duas princesas de outrora.

Certo dia acordei com uma gritaria. Ela tentava impedi-lo de sair. Dizia ele que a vaca mal parava em pé de tanta fome. Pretendia cavar raízes, cortar algum pedaço de árvore e talvez entrar nas casas abandonadas para ver se não haviam deixado algo para trás que pudesse servir. Tinha certeza de que encontraria um pouco de milho no depósito da cooperativa de grãos que ficava a uma hora de nossa casa. Teríamos alimento para duas semanas se ele carneasse a vaca, mamãe dizia. O problema era que papai estava decidido a não mais esperar.

Apertou-me contra o peito e respirei fundo seu cheiro de tabaco. Minha irmã soluçava de tanto chorar. Mamãe dava tapas em seu ombro enquanto ele a abraçava demorado. Os dois pareciam ter envelhecido vinte anos nos últimos três meses. Quando papai saiu, da janela vimos seu corpo ser tragado pelo branco infinito.

Ele não voltou.

Três dias depois, a vaca amanheceu morta. Com nossa ajuda, mamãe retirou o pouco de carne do animal. Cada pedaço contado dela que comíamos não saciava e ainda impedia as sutilezas do pensamento à mesa. As conversas gentis que trocávamos durante o dia agora se resumiam a olhares desconfiados como se a qualquer momento fôssemos roubar algo uma das outras. Até as palavras das histórias que mamãe contava pareciam ter esfriado.

Por mais que minha irmã garantisse que nos encontraríamos no céu se uma de nós não acordasse, quando o frio penetrava por entre as cobertas, dentro das meias, no vão das pernas, conquistando nossas costas, orelhas e pensamentos, devíamos nos empurrar durante o sono.

A fome não permitia acreditar em conceitos abstratos, como céu, paraíso e outras bobagens que concluí existirem para nos entregar respostas fáceis, para nos fazer fugir daquilo que também existia em nós e que começávamos a não controlar.

De tão contínua violência que nos infligíamos, passei a ter mais medo da vida dentro de casa do que da morte. Com muito frio, lembrei-me de uma frase que havia lido em um livro: "Não é a capacidade de afeto que nos faz humanos, e menos ainda a razão, mas sim o calor do estômago." Nesse mesmo dia em que a frase me consumia, nosso poço de água congelou. Mamãe parecia perder todo o juízo. Andava de um lado para o outro repetindo "Não vou ser enterrada viva".

Alguns dias depois, quando a fome nos enlouquecia, os lábios roxos de mamãe comunicaram que iríamos sair.

Minha irmã, com os olhos arregalados, tentou desestimulá--la, dizendo que papai podia voltar e não nos encontraria. Mamãe mandou calar a boca num tom agressivo. Recuei quando minha irmã fez menção de retrucar e levou um tapa no rosto. "Quem quiser ficar, fica. Eu não vou morrer feito uma vaca dentro desta casa", disse mamãe pondo fim à discussão. Sua determinação me alimentava.

O peso da neve entortava os galhos das árvores. Em algumas partes do caminho era possível morrer afogado naquele mar branco. O cachecol que ganhara de presente de aniversário ajudava a não respirar o gelo que o vento jogava contra o rosto. O som, o cheiro, tudo era branco. E a claridade constante fazia doer os olhos.

Nada mais crescia abaixo da nuvem espessa que estacionara sobre a região. Acabaram-se as virtudes tão exploradas das férteis terras sulinas. Nós nos tornávamos algo que ninguém pretendia recuperar debaixo de toda aquela neve.

Intuí que seguíamos na direção da cooperativa pelo caminho que tomamos. Minha irmã me olhou e em seus olhos havia o brilho vacilante da esperança.

No buraco de um tronco de árvore, mamãe avistou algo peludo que mais parecia um rato pequeno. Fez sinal com a mão para que lhe entregasse a machadinha que eu carregava, se aproximou e silenciou o animal com dois golpes rápidos. Depois, segurou-o pelo rabo e bateu inúmeras vezes no pequeno corpo que tremia com a intenção de retalhá-lo. Dizia um palavrão cada vez que o sangue esguichava e tingia a neve. Então colocou parte do bicho na boca e mastigou com voracidade. Disse "Não pense, coma", apontando pra mim a segunda parte sangrenta. Retirei a luva e, ao tocar na parte que me cabia, estremeci inteira pela ausência de calor que se acumulara em minha mão. Depois que comi, minha irmã se aproximou e fez o mesmo com a terceira parte.

Caminhamos bastante, mas ainda estávamos longe da sede da cooperativa. Era muito cansativo avançar pela neve fofa. Parávamos pouco porque mamãe imprimia um ritmo de quem tinha pressa. Mesmo de botas, sentia meus dedos frios e úmidos. Assustei-me quando ela disse "Se abaixem naquele canto". Longe distinguiu um ponto que se movimentava.

Era um homem andando a esmo.

Escondemo-nos atrás da ponta de um muro metade submerso na neve. "Quietas, deixem-no passar", sussurrou. Fiquei com a impressão de que se o homem demorasse não seria capaz de me levantar novamente, tamanha dormência que os pés afundados na neve e o vento rasteiro causavam às minhas pernas.

Num ataque certeiro, mamãe deu o golpe e parou. Surpreendi-me com o som que o martelo grande fez ao atingir a cabeça do homem. Sempre falei "cabeça de papel", "cabeça de ovo" e agora descobria que a cabeça não era algo que pudesse ser rasgada ou quebrada facilmente. Lembrava mais o barulho seco que se ouvia quando meu pai errava o prego e batia com o mesmo martelo no moirão de fazer ponto de cerca.

Desnorteado por ter sido pego de surpresa, o homem com o rosto coberto de sangue afundava na neve diante de nós. Ciente da situação, serpenteou e, num bote desesperado, tentou pegar minha perna. Eu era a menor das três e, na posição dele, teria feito o mesmo. Mas, num reflexo de autopreservação, levantei a machadinha como muitas vezes já tinha feito para cortar lenha e acertei-lhe o braço. O homem se afastou e, de costas no revirado branco, sibilava feito animal que sabe que vai morrer.

Fechei meus olhos quando percebi que minha irmã tomou coragem e, aos berros, levantava o facão.

Num tempo impreciso quando os voltei a abrir, aquele homem ainda se contorcia igual rabo de cobra sem corpo.

Instintivamente, aquilo parecia o certo a ser feito, só não sabíamos como seria agora que havíamos ultrapassado esse limite impensado em nossa resfriada humanidade. Também não havia tempo para grandes reflexões; logo ouvi "Vamos comer antes que a carne congele a ponto de machucar as gengivas".

A carne humana não esquentou meu estômago, mas era doce como um sorriso depois de tanto sofrer. Lambendo os dedos, entendi nossa nova condição.

Assim continuamos avançando sobre a neve.

Agradecimentos

Ao Marcelo por andar junto.

Aos "moedores de carne" do Grupo de Escrita da Ana Mello (Grupo de Segunda) pela generosidade dos encontros e palavras. *Terra nos cabelos* tem muito de cada um de vocês.

Ao José Falero pela alegria da amizade e da gramática.

À Lu Thomé pelos comentários, risadas e café.

A Gladis Wohlgemuth, Robertson Frizero e Marcelo Spalding pelo incentivo e ensinamentos.

E ainda a todos que leram um texto meu, em especial às amigas e amigos da Galera da Janta, da Especialização em Literatura da PUC-RS e da Metamorfose Cursos.

Este livro foi composto na tipografia
Minion Pro, em corpo 12/17, e impresso em
papel off-white no Sistema Cameron da
Divisão Gráfica da Distribuidora Record.